2025年度版

TAC税理士講座

税理士受験シリーズ

8

財務諸表論

理論問題集 基礎編

はじめに

本書は、税理士試験の財務諸表論の受験者を対象として、理論に関する体系的理解と基礎力の養成を目的とした演習書として編集されたものである。

税理士試験の財務諸表論・理論問題においては、企業会計原則並びにそれを補完する同注解及び連続意見書等を中心とした会計諸則の内容の理解を問う問題が多く出題されている。また、近年においては、金融商品に関する会計基準等、いわゆる新会計基準に関する内容の理解を問う問題も多く出題されている。

本試験における理論問題は、基本的には論述形式の問題である。したがって、題意の把握を前提として、筆力、論旨の一貫性等が答案作成上必要となる。

筆力養成のためには、財務諸表論の学習にあたって、その内容を十分に理解することが重要となる。しかし、単に頭だけの理解にとどまっていてはならない。理解した知識を整理して、実際に書いてみることが重要である。なぜなら、頭の中では理解できていたつもりでいても、実際に書いてみると、理解していたことの半分も書けない（表現できない）のが普通だからである。

また、実際に文章を書く際には、その論点において必要となる会計用語や重要事項等を確実に記述し、文章を構成していかなければならない。このためにも、本書を利用し各論点ごとに必要となる会計用語や重要事項を的確に覚えていってほしい。

さらに、題意の把握すなわち、どこが論点で、どこが問題なのかを理解ないし整理し、それに対する解答として論旨に一貫性をもたせることも重要である。

そのためにも、本書の「解答」及び「解答への道」において理解を深め、知識の整理を行ってほしい。

本書が、受験者諸氏にとって、『合格』という栄冠獲得の一助となればこれに過ぎたる喜びはない。

ＴＡＣ税理士講座

本書の特長

1　重要論点を厳選

本試験の出題実績に基づいて、重要論点を厳選した演習書です。演習を通じて、各論点の意義、キーワード等を確実に身に付けることができるように工夫されています。

「問題」「解答」「解答への道」の中において、企業会計原則、同注解、連続意見書、金融商品に関する会計基準等の重要箇所をできるだけ引用し取り上げるように考慮しています。

2　配点を明示

解答ごとに、本試験において配点が予想される重要箇所に配点を付しています。

（下線および□で囲まれた数字が配点を示しています）

問題を解いた後、自己採点を行うことができますので、暗記・理解の状況を確認しながら、学習を進めることができます。

3　最新の改正に対応

最新の会計基準等の改正等に対応しています。

（令和６年７月までに公表された会計基準等に準拠）

4　重要度を明示

問題ごとに、本試験の出題実績に応じた重要度を明示しています。重要度に応じたメリハリをつけた学習を行うことが可能です。

Ａランク…非常に重要度の高い論点

Ｂランク…比較的重要度の高い論点

Ｃランク…比較的重要度の低い論点

5　本試験の出題の傾向と分析を掲載

本試験の出題傾向と分析を掲載しています。学習を進めるにあたって、参考にしてください。

（注）本書掲載の「出題の傾向と分析」は、「2024年度版　財務諸表論　過去問題集」に掲載されていたものになります。

本書の利用方法

1　問題を解く

本書は、理論に関する体系的理解と基礎力の養成を目的とした演習書です。

まずは、「解答欄」を用いて、実際に問題を解いてみましょう。解いた後は、配点を参考に、現状の定着度・理解度を確認しましょう。

2　チェック欄の利用方法

目次には問題ごとにチェック欄を設けてあります。実際に問題を解いた後に、日付、得点、解答時間などを記入することにより、計画的な学習、弱点の発見ができます。

3　間違えた問題はもう一度解く

間違えた問題をそのままにしておくと、後日同じような問題を解いたときに再度間違える可能性が高くなります。そのため、間違えた問題はなぜ間違えたのかを徹底的に分析して、二度と同じ間違いを繰り返さないように対策を考え、少し時期をずらしてもう一度解いて確認してください。

4　「理論問題集　応用編」

「財務諸表論　理論問題集」には「基礎編」と「応用編」の２冊があり、「応用編」は本試験における応用力と実践力の養成を目的とした演習書です。

「基礎編」で身に付けた体系的理解と基礎力をもとに、本試験レベルの問題に挑戦しましょう。

5　解答欄の利用方法

「解答欄」は、ダウンロードでもご利用いただけます。Cyber Book Store（TAC出版書籍販売サイト）の「解答用紙ダウンロード」にアクセスしてください。

https://bookstore.tac-school.co.jp

目次

出題の傾向と分析

理論問題について

① 過去10年間の出題内容

内容	回数	第64回	第65回	第66回	第67回	第68回	第69回	第70回	第71回	第72回	第73回
Ⅰ　財務会計の全体構造Ⅰ	1　財務会計の定義・機能										
	2　静態論・動態論										
	3　制度会計										
	4　会計公準										
Ⅱ　一般原則	1　真実性の原則	○									
	2　正規の簿記の原則	○									
	3　資本・利益区別の原則										
	4　明瞭性の原則										
	5　継続性の原則										
	6　保守主義の原則										
	7　単一性の原則	○									
Ⅲ　損益会計	1　現金主義会計・発生主義会計										
	2　企業会計原則に準拠した発生主義会計	○			○				○		
	3　収益の認識・測定						○				
	4　費用の認識・測定								○		
	5　キャッシュ・フロー会計と損益計算の関係				○						
Ⅳ　資産評価総論	1　資産の概要						○				
	2　原価主義の原則と費用配分の原則										
	3　割引現価主義					○					
Ⅴ　棚卸資産	1　棚卸資産の範囲										
	2　取得原価決定	○									
	3　費用配分										
	4　低価基準										
Ⅵ　有形固定資産	1　取得原価決定										
	2　減価償却	○			○					○	
	3　臨時償却・臨時損失										
	4　減価償却の計算方法									○	
	5　減耗償却										

内容	回数	第64回	第65回	第66回	第67回	第68回	第69回	第70回	第71回	第72回	第73回
Ⅶ　無形固定資産	1　のれんの定義										
	2　のれんの償却										
Ⅷ　繰延資産	1　繰延資産の定義	○									
	2　繰延経理の根拠										
	3　繰延資産の資産性										
	4　各繰延資産の取扱い										
Ⅸ　引当金	1　定義・目的・根拠		○						○		
	2　引当金の分類		○								
	3　引当金の計上区分										
Ⅹ　財務諸表	1　損益計算書の作成原則	○					○		○		
	2　貸借対照表の作成原則										
	3　株主資本等変動計算書										
	4　会計方針										
	5　後発事象										
Ⅺ　財務会計の全体構造Ⅱ	1　収益費用アプローチ・資産負債アプローチ					○		○			
	2　損益計算書と貸借対照表の連携			○	○			○			
Ⅻ　概念フレームワーク	1　財務報告の目的						○				○
	2　会計情報の質的特性										○
	3　財務諸表の構成要素					○		○	○		○
	4　財務諸表における認識と測定					○	○				
XIII　金融商品基準	1　金融資産の評価					○					
	2　金銭債権の評価						○				
	3　貸倒見積高の算定										
	4　金銭債務の評価										
	5　有価証券の評価・評価差額の処理	○		○			○				
	6　デリバティブ取引										
XIV　リース基準	1　リース取引の定義										
	2　売買取引に準じた処理の理由						○				
	3　リース資産の資産性										
	4　貸手においてリース資産が流動資産に計上されるケース										
	5　ファイナンス・リース取引の判定基準						○				
	6　オペレーティング・リースの資産性							○			

内　　容		第64回	第65回	第66回	第67回	第68回	第69回	第70回	第71回	第72回	第73回
XV　減損基準	1　減損処理の定義		○								○
	2　減損処理の目的								○		○
	3　臨時償却との相違										○
	4　減損処理の会計手続		○						○		○
XVI　棚卸資産基準	1　通常の販売目的で保有する棚卸資産の評価						○				
	2　収益性の低下の判断										
	3　合理的に算定された価額										
	4　トレーディング目的の棚卸資産の評価						○				
XVII　研究開発基準	1　研究開発費の定義										
	2　発生時費用処理の根拠	○									
	3　研究開発費の具体例										
	4　仕掛研究開発費	○									
	5　受注制作のソフトウェア										
	6　市場販売目的のソフトウェア										
	7　自社利用のソフトウェア										
XVIII　退職給付基準	1　退職給付の定義										
	2　退職給付の性格										
	3　退職給付債務					○					
	4　年金資産										
	5　会計処理の基本的考え方										
XIX　資産除去債務基準	1　資産除去債務の定義				○						
	2　資産除去債務の負債計上							○			
	3　両建処理の根拠				○						
	4　除去費用の資産計上と費用配分		○					○			
	5　資産除去債務の算定				○	○		○		○	
	6　利息費用の計上									○	
XX　税効果基準	1　税効果会計の定義・目的										
	2　法人税等の性質										
	3　税効果会計の処理										
	4　繰延税金資産										
	5　繰延税金負債										
XXI　企業結合基準	1　企業結合の定義										
	2　取得の会計処理										
	3　のれんの償却理由	○									

内容 ＼ 回数		第64回	第65回	第66回	第67回	第68回	第69回	第70回	第71回	第72回	第73回
	4　持分の結合の会計処理										
	5　投資原価の回収計算										
XXII　外貨換算基準	1　外貨換算の方法			○							
	2　外貨建取引の処理方法			○							
	3　為替予約等			○					○		
XXIII　純資産表示基準	1　純資産の概要					○					
	2　株主資本の区分の考え方										○
	3　資本剰余金										
	4　利益剰余金										
	5　自己株式					○					○
XXIV　ストック・オプション基準	1　ストック・オプションの定義										
	2　費用認識の根拠										
	3　権利確定日後の会計処理	○									
	4　従来の処理の根拠										
	5　新株予約権失効時の処理					○					○
XXV　包括利益表示基準	1　包括利益とその他の包括利益			○				○			
	2　包括利益を表示する目的			○				○			
	3　リサイクリング				○			○			
XXVI　キャッシュ・フロー計算書基準	1　キャッシュ・フロー計算書の目的										
	2　資金の範囲										
	3　キャッシュ・フロー会計と損益計算の関係										
XXVII　連結財務諸表基準	1　作成目的					○					
	2　連結基礎概念										
XXVIII　四半期財務諸表基準	1　範囲・開示対象期間										
	2　四半期財務諸表の性格										
	3　四半期財務諸表の特徴										
XXIX　会計上の変更等基準	1　会計上の変更等に関する取扱い										○
	2　会計方針の変更										
	3　表示方法の変更										
	4　会計上の見積りの変更								○		○
	5　過去の誤謬										○
XXX　セグメント情報	1　セグメント情報の定義										
XXXI　継続企業の前提	1　継続企業の前提に関する注記										
XXXII　賃貸等不動産	1　投資不動産の時価評価		○								

回数 内容		第64回	第65回	第66回	第67回	第68回	第69回	第70回	第71回	第72回	第73回
XXXIII　収益認識基準	1　基本となる原則									○	
	2　収益を認識するための5つのステップ									○	

②　過去の出題内容の傾向と分析

イ　出題形式の特徴

財務諸表論の理論問題は、基本的に文章を作成する「論述形式」で出題される。しかし、近年においては長文を書かせるような問題はあまり出題されておらず、出題論点の要点だけを簡潔に論述、解答させる問題が多く出題されている。また、記号選択形式の問題も数多く出題されている。このような問題形式に対する対応力を身に付けるためには、各論点における内容を単に丸暗記するのではなく、どこがキーワード又はキーセンテンスとなるのかを意識しながら覚えるとともに、当該論点の内容をしっかりと理解することも必要となる。

また、理論問題においては論述問題ばかりではなく、会計基準の空所補充問題も数多く出題されている。よって、学習にあたっては各論点ごとに該当する会計基準をしっかりと確認することも重要となる。

ロ　出題範囲の特徴

税理士試験の受験案内においては、財務諸表論の出題範囲について「会計原理、企業会計原則、企業会計の諸基準、会社法中計算等に関する規定、会社計算規則（ただし、特定の事業を行う会社についての特例を除く。）、財務諸表等の用語・様式及び作成方法に関する規則、連結財務諸表の用語・様式及び作成方法に関する規則」とされている。

過去の出題内容を見ると、近年においては前述の出題範囲のうち、「資産除去債務に関する会計基準」、「金融商品に関する会計基準」、「固定資産の減損に係る会計基準」等、いわゆる新会計基準からの出題が多くなってきている。今後もこの傾向は続くと思われることから、学習にあたっては新会計基準の内容はもちろんのこと、各会計基準の規定内容についても十分な確認が必要になるであろう。

また、最近の出題では、新会計基準の内容を中心に出題しつつ、それと関連する伝統的会計理論の内容もあわせて出題されている（例えば、「退職給付に関する会計基準」と伝統的な引当金の論点を関連させて出題している）。よって、新会計基準の学習だけに偏ることなく、関連する伝統的会計理論の内容も確認することが必要である。

テーマ1　財務諸表論の全体構造Ⅰ

第１問　財務会計

重要度　C

以下の各問に答えなさい。

1　空欄［　　］に入る適切な用語を答えなさい。

財務会計とは、企業の経済活動の内容とその結果を、企業の［　　］に報告するための会計をいう。

2　財務会計が有する機能として掲げられる、(1)説明責任履行機能、(2)利害調整機能、(3)情報提供機能について、それぞれの内容を説明しなさい。

＜解答欄＞

1

［　　　　　　　］

2 (1)　説明責任履行機能

(2)　利害調整機能

(3)　情報提供機能

解　答

1

外部利害関係者

2 (1) 説明責任履行機能

説明責任履行機能とは、株主（委託者）から拠出された資本（受託資本）に対する管理・運用の責任[2]、すなわち受託責任を明らかにする機能[4]をいう。

(2) 利害調整機能

利害調整機能とは、資産・負債・純資産の額、収益・費用・利益の額、分配可能額などの決定[2]を通して、利害関係者の利害を調整する機能[4]をいう。

(3) 情報提供機能

情報提供機能とは、利害関係者がそれぞれの利害に基づいて、将来の行動に関する意思決定[2]を行う上で有用な情報を提供する機能[4]をいう。

【配　点】

1　7点　　**2** (1)　6点　(2)　6点　(3)　6点　　合計25点

解答への道

1　財務会計の定義

会計とは、「情報を提供された者が適切な判断と意思決定ができるように、経済主体の経済活動を記録・測定して伝達する手続」をいう。

その対象とする経済単位を何におくか、あるいは、経済活動の内容とその結果を誰のために明らかにするのかの違いにより、次のように分類される。

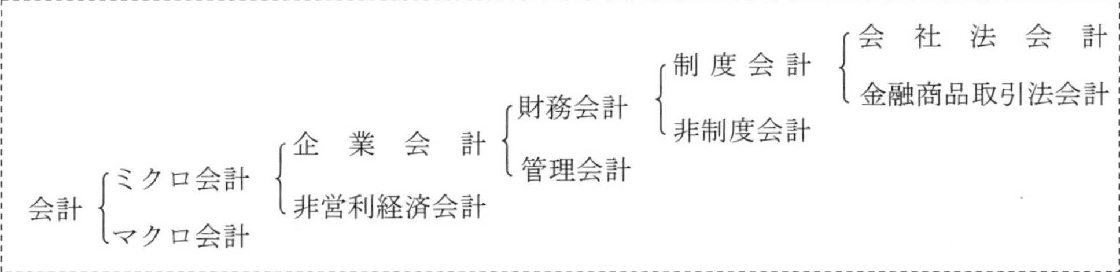

このうち財務会計とは、企業の経済活動の内容とその結果を、企業の外部利害関係者に報告するための会計をいう。

企業が経済活動を行うには、資金が必要となる。そこで企業は、出資者（具体的には株主などの投資者）を募って資金を調達したり、また、銀行などの金融機関（債権者）からの借入れによって資金の調達をし、経済活動を行うこととなる（投資者や債権者をまとめて利害関係者という）。

逆に利害関係者は、資金を企業の経営者に提供し、その運用を委託する。しかし、利害関係者は直接企業の経営活動に携わるわけではないため、提供した資金が企業の経済活動にどのように利用され、どのような結果を生み出しているのかを直接知ることはできない。

このため、企業経営者には、利害関係者から委託された資金の運用状況とその結果など、企業の状況（具体的には財政状態や経営成績）に関する内容を報告することが求められる。

よって、企業経営者は、企業の財政状態や経営成績に関する内容を取りまとめ、利害関係者に対して定期的に報告する必要があり、その報告の手段として用いられるのが財務諸表（具体的には貸借対照表や損益計算書）なのである。

このように企業活動の内容とその結果を、企業の外部利害関係者に報告するために行われる会計が財務会計なのである。

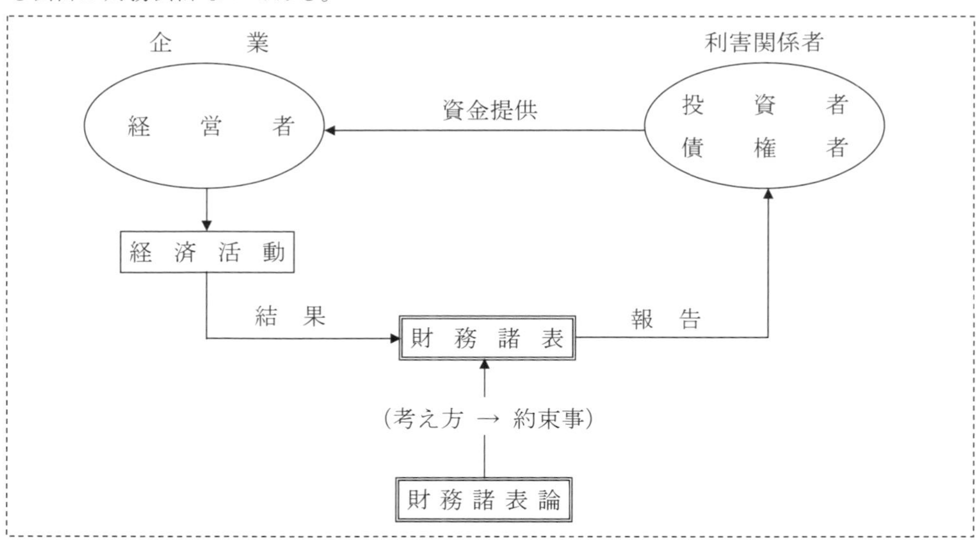

2　財務会計の機能

財務会計の機能とは、財務会計が果たすものと一般に期待されている効果あるいは役割を意味する。財務会計の機能としては次の３つをあげることができる（財務会計の機能については、「利害調整機能」と「情報提供機能」の２つとみる見解もある。）。

(1) 説明責任履行機能

株式会社において、株主は自己の所有する財を経営者に委託する。したがって、株主は委託者であり、経営者は受託者である。その結果、受託者である経営者は委託された財（これを「受託資本」という）に対する管理・運用の責任（これを「受託責任」という）とその結果を財務諸表を通じて報告する責任（これを「説明責任」又は「会計責任」という）を果たす必要があり、その役割を財務会計が担っているのである。

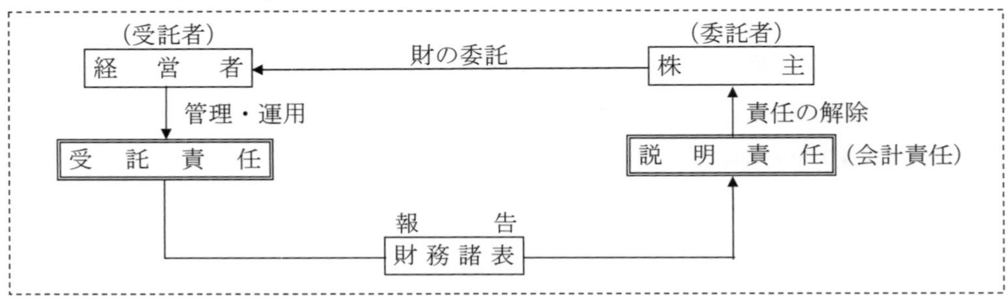

(2) 利害調整機能

財務会計とは、企業の外部利害関係者に対して、企業の経済活動の内容とその結果を報告するための会計をいう。ここに外部利害関係者とは、企業の経済的状況について何らかの法的・経済的利害関係を有している外部の人々のことをいう。代表的な利害関係者としては、株主や債権者をあげることができる。

株主は、企業の業績（利益の大小）を反映する配当金の額の大小及び株価の高低に関して企業と利害関係をもっており、債権者は融資した資金の返済能力及び利息支払能力に関して企業と利害関係をもっている。

このように企業の外部には、様々な利害関係者がおり、かつ、それぞれの利害は必ずしも一致するものではないことから、彼らの利害を調整する役割を財務会計は担っているのである。

(3) 情報提供機能

株主、債権者等の外部利害関係者はそれぞれの立場で、それぞれの利害に基づいて将来の行動に係る意思決定を行うこととなる。この場合に利害関係者の注目する情報が、企業が作成・公表する財務諸表である。それゆえ、財務会計は、企業の外部利害関係者の意思決定のための情報を提供する機能を担っているといえるのである。

上記３つの機能をまとめると次のようになる。

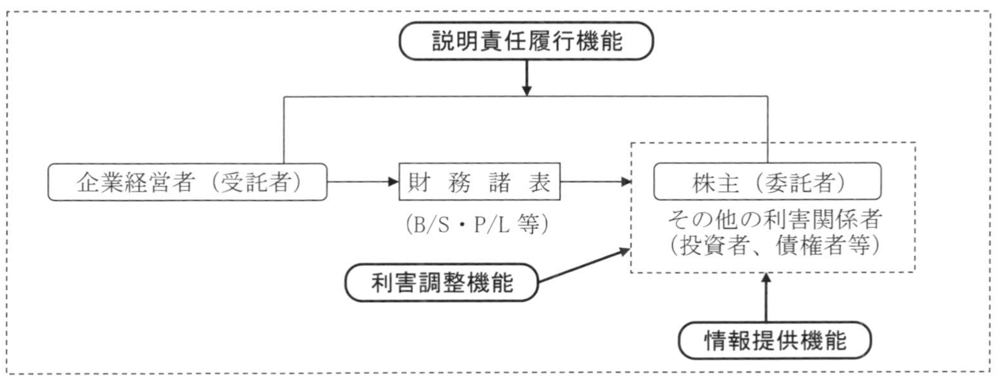

（MEMO）

第2問 静態論

重要度	C

企業会計の会計思考である静態論に関して、以下の各問に答えなさい。

1 次に示す文章中の空欄にあてはまる用語を答えなさい。

> 静態論のもとでは、［ ① ］のための企業の［ ② ］の算定・表示が会計の目的とされる。そのため、企業の［ ③ ］が計算の重点とされる。

2 静態論において認識される資産・負債とはどのようなものか説明しなさい。

3 静態論における利益の計算方法の名称を答えるとともに、その内容を説明しなさい。

＜解答欄＞

1

①		②		③	

2

資産	
負債	

3

名称	
内容	

解　答

1

①	債権者保護	②	債務弁済力	③	財産計算

2

資産	個別的な財産価値をもつもの[4]だけが資産として認識される。
負債	法的確定債務[4]だけが負債として認識される。

3

名称	財産法
内容	財産法とは、期首の純財産（正味財産）と期末の純財産（正味財産）との差額として利益を計算する方法[8]である。

【配　点】

1　各２点　　2　各４点　　3　名称　３点　内容　８点　　合計25点

解答への道

静態論の特徴

静態論的会計思考が広がった当時の企業は経済的な基盤が脆弱であったため、継続企業を前提としつつも実際には、倒産が相次いでいる状況であった。当時の主要な利害関係者は、企業に対する資金提供者である点で共通している株主及び債権者であった（当時はまだ、証券市場が発達していないため、投資者は財務諸表の受け手として重要性を帯びていない)。

しかし、両者の資金提供の見返りとして取得する権利の内容には、大きな差がある。まず、株主は株主総会における経営上の意思決定への参加や配当金や社内留保額の持分を取得する一方で、企業倒産時でも自己の出資額を限度とした有限責任で足りる。他方、債権者は経営意思決定には参加できず、企業倒産時に元金が回収できない危険をも負担させられている。したがって、企業の倒産を前提とした場合、債権者をいかにして保護するかが社会的な問題となっていた。そこで、債権者保護の観点に立って、債権者の中心的な関心事であった企業の債務弁済力を、貸借対照表を通じて、定期的に公開させたのである。このような債権者保護のための債務弁済力の算定・表示に目的をおく会計思考を静態論と呼ぶのである。

この静態論においては、債権者保護のための債務弁済力の算定・表示を会計の目的としていることから、企業の債務弁済力を計算すること、すなわち、財産計算（財産－債務＝正味財産）が計算の重点とされていた。よって、企業の倒産を前提としている静態論のもとでは、財産計算を直接行うことができる財務諸表である貸借対照表が重視され、継続企業を前提として企業の活動を複式簿記という簿記システムを使って、収益・費用を把握することにより作成される損益計算書は作成されていなかった。

ただし、損益計算書が作成されていない静態論のもとでも、利益の計算は財産計算の陰に隠れて副次的に行われていた。すなわち、貸借対照表により期首の純財産と期末の純財産を把握して、この純財産を時点比較することにより、利益の計算が行われていたのである。この利益の計算方法のことを財産法という。

このように静態論のもとでは、解散を前提として企業の活動を静的に捉え、貸借対照表の作成のみを行っていた。ここでの貸借対照表は静的貸借対照表と呼ばれている。この静的貸借対照表は、決算日において仮に企業が解散した場合における企業の財産有高を示すため、決算日における財産と債務の実地棚卸を行って、財産目録を作成し、これに基づいて作成されていた。この貸借対照表の作成方法を棚卸法という。そして、その貸借対照表の借方には個別的な財産価値をもつものを売却時価で評価して記載し、貸方には法的確定債務とそれらの差額として、企業の純財産を記載していたのである。

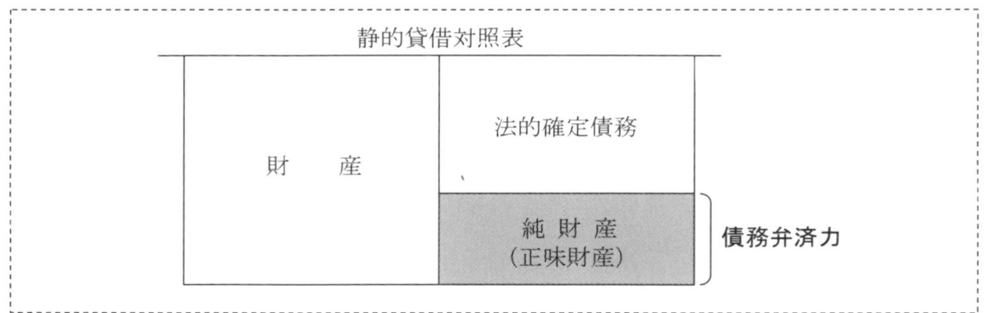

（MEMO）

第3問 動態論

重要度	B

企業会計の会計思考である動態論に関して、以下の各問に答えなさい。

1　次に示す文章中の空欄にあてはまる用語を下記の語群から選択し、記号で答えなさい。

> 動態論のもとでは、［ ① ］のための企業の［ ② ］の算定・表示が会計の目的とされる。そのため、企業の［ ③ ］が計算の重点とされる。

【語群】

ア　債権者保護　　イ　投資者保護　　ウ　収益力　　エ　企業価値

オ　債務弁済力　　カ　損益計算　　キ　割引計算　　ク　純資産計算

2　資金の流れに着目した場合、動態論において認識される資産・負債とはどのようなものか説明しなさい。

3　動態論における利益の計算方法の名称を答えるとともに、その内容を説明しなさい。

＜解答欄＞

1

①		②		③	

2

資産	
負債	

3

名称	
内容	

解　答

1

①	イ	②	ウ	③	カ

2

資産	企業資本の運用形態を示すもの4が資産として認識される。
負債	企業資本の調達源泉2を示し、弁済義務を負うもの2が負債として認識される。

3

名称	損益法
内容	損益法とは、複式簿記により企業資本運動を描写し、これに基づいて収益と費用を把握4し、その差額として利益を計算する方法4である。

【配　点】
1　各２点　　2　各４点　　3　名称　３点　内容　８点　　合計25点

解答への道

動態論の特徴

19世紀末から20世紀初頭にかけて、株式会社制度が定着してきたことに従い、これまでのような倒産を前提とする財産計算は次第に現実適合性を失ってきた。また、証券市場の発達による企業規模の拡大に伴って、投資者が財務諸表の受け手として重要性を帯びてきた。よって、彼らが投資意思決定を行う場合の資料として、企業の収益力に関する情報開示が必要となってきたのである。このような投資者保護のための収益力の算定・表示を会計の目的とする会計思考を動態論と呼ぶのである。

動態論においては、継続企業を前提とすることから、期中の企業の活動を資金面から描写すべく、複式簿記という簿記システムを使って貸借対照表と損益計算書の両方を作成している。ただし、投資者保護のための収益力の算定・表示を会計の目的とするため、損益計算に重点がおかれていることから、それを直接行うことができる損益計算書が重視され、貸借対照表は損益計算書に対して従たる地位におかれているのである。

動態論における利益の計算については、貸借対照表と損益計算書の両面から行うことができる。ただし、動態論のもとで認められる、すなわち、複式簿記の原理に基づく貸借対照表による利益の計算方法である財産法は、あくまで純資産の時点比較を行うことにより利益を計算する方法であることから、利益の発生源泉を明らかにすることができない。よって、利益の発生源泉を明らかにすべく、損益計算書による利益の計算方法である損益法により利益の計算は行われている。ここに、損益法とは、複式簿記により企業資本運動を描写し、これに基づいて収益と費用を把握し、その差額として利益を計算する方法をいう。

このように、動態論のもとでは、企業の活動を資金面から、複式簿記という簿記システムを使って動的に捉えて、誘導法により財務諸表を作成している。ここに誘導法とは、複式簿記による帳簿記録から、まず、収益・費用を誘導して損益計算書を作成し、その後、残余項目である資産・負債・純資産を誘導して貸借対照表を作成する方法をいう。

また、動態論のもとで作成される貸借対照表を動的貸借対照表という。この動的貸借対照表においては、継続企業を前提として損益計算を重視していることから、その借方には、資産として、個別的な財産価値をもつものだけではなく経過勘定項目や繰延資産などの計算擬制的資産も計上されており、貸方には、負債として、法的確定債務以外に経過勘定項目や負債性引当金などの計算擬制的負債も計上されているのである。

（MEMO）

テーマ2　一 般 原 則

第4問　真実性の原則

重要度 B

企業会計原則・一般原則一に規定する真実性の原則に関して以下の各問に答えなさい。

1　下記の規定の空欄にあてはまる適当な語句を答えなさい。

> 企業会計は、企業の ① 及び ② に関して、③ を提供するものでなければならない。

2　真実性の原則でいう「真実」の意味について説明しなさい。

＜解答欄＞

1

①	
②	
③	

2

解　答

1

①	財政状態
②	経営成績
③	真実な報告

2

真実性の原則における真実とは、絶対的真実性ではなく、相対的真実性[4]を意味する。

なぜなら、今日の財務諸表は、「記録された事実と会計上の慣習と個人的判断の総合的表現」であるため[12]である。

【配　点】
1　各３点　　2　16点　　合計25点

解答への道

1　一般原則

一般原則とは、企業会計の全領域を支配する包括的な基本原則である。この一般原則は(1)真実性の原則、(2)正規の簿記の原則、(3)資本・利益区別の原則、(4)明瞭性の原則、(5)継続性の原則、(6)保守主義の原則及び(7)単一性の原則の７つから構成され、次のように会計の全般を包括する真実性の原則と、会計の実質面つまり認識・測定行為にかかわる原則、会計の形式面つまり記録・表示行為にかかわる原則とに分類することができる。

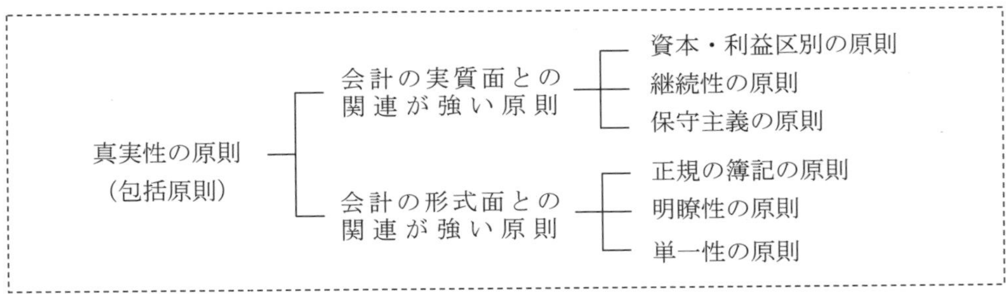

2　真実性の原則の要請内容

真実性の原則は、真実な報告を行うために、この原則（真実性の原則）以下の他の一般原則及び下位原則である損益計算書原則並びに貸借対照表原則を遵守することを要請している。

なぜなら、真実性の原則以下の他の一般原則及び下位原則である損益計算書原則並びに貸借対照表原則を遵守することにより、利害関係者に対し、企業の財政状態及び経営成績に関する真実な報告を提供することが可能となるからである。

3 相対的真実の意味

真実性の原則における「真実」とは、唯一・絶対的な真実ではなく、相対的真実を表している。

これは、今日の財務諸表が記録された事実と会計上の慣習と個人的判断の総合的表現であるためである。

(1) 記録された事実

今日の財務諸表に記録される資産、負債、純資産、収益及び費用の額は、すべて記録された過去の取引額を基礎として測定されたものである。これは、今日の財務諸表が、例えば、資産は取得原価又はそれに基づいて評価されているように、過去の事実を表していることを意味する。

(2) 会計上の慣習

今日の財務諸表は、会計実務上、慣習として発達したものの中から、一般に公正妥当と認められた会計処理の原則及び手続によって作成されるということである。ところが、この会計処理の原則及び手続については、例えば減価償却における定額法、定率法及び級数法などのように、１つの会計事実に２つ以上の方法が認められている場合に、どの方法を用いるかによって、財務諸表に記載される金額が異なってくる。しかし、用いた方法が一般に公正妥当と認められたものである限り、これによって作成される財務諸表は、いずれも真実なものとして取り扱われるのである。

(3) 個人的判断

今日の財務諸表が「個人的判断」によって作成されるということは、それが継続企業を前提としたものであるため、経営者の将来に対する予測という主観的な判断が必然的に入りこまざるを得ないということである。これは、今日の財務諸表が、主観的な真実を表していることを意味している。

以上のように、今日の財務諸表における真実とは、一般に「相対的真実」といわれ、その実質的な意味において「適正」ないし「公正」と同じである。したがって、真実性の原則は、換言すれば、適正ないし公正な財務諸表の作成を要請する原則にほかならないのである。

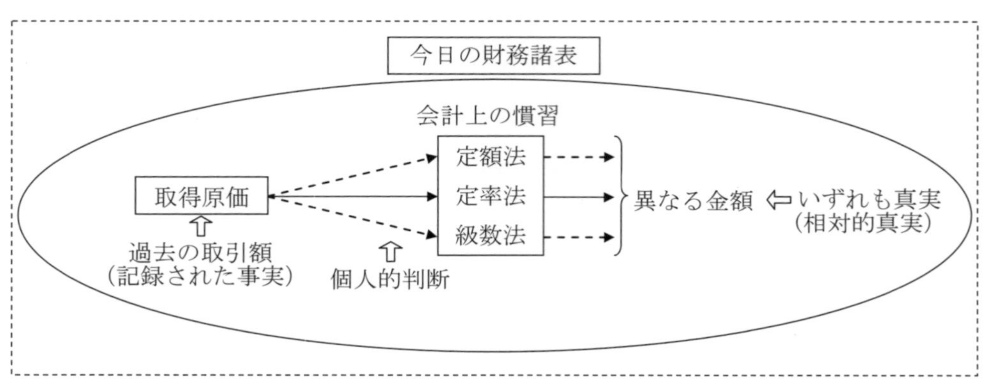
今日の財務諸表
会計上の慣習
取得原価
定額法
定率法
級数法
異なる金額
いずれも真実
（相対的真実）
過去の取引額
（記録された事実）
個人的判断

第5問　正規の簿記の原則

重要度	B

企業会計原則・一般原則二に規定する正規の簿記の原則に関して以下の各問に答えなさい。

1　下記の規定の空欄にあてはまる適当な語句を答えなさい。

企業会計は、［ ① ］につき、［ ② ］に従って、［ ③ ］を作成しなければならない。

2　正規の簿記の原則を会計の形式面のみならず実質面にもかかわる原則であると解釈した場合、当該原則が要請する内容について説明しなさい。

3　空欄③を作成するにあたり備えるべき要件を3つ示しなさい。

<解答欄>

1

①		②	
③			

2

3

解　答

1

①	すべての取引	②	正規の簿記の原則
③	正確な会計帳簿		

2

正規の簿記の原則は、適正な会計処理[5]及び正確な会計帳簿の作成[5]と誘導法による財務諸表の作成[5]を要請している。

3

網羅性	検証性	秩序性

【配　点】

1　各２点　　2　15点　　3　４点（完答）　　合計25点

解答への道

1　正規の簿記の原則の要請内容

正規の簿記の原則には、２つの捉え方がある。１つは、正規の簿記の原則は、会計の記録形式面についての基本的な包括原則であって、直接、認識や測定（会計処理）に関する基準を指示するものではないとする見解である。もう１つは、企業会計原則注解・注１重要性の原則において、「重要性の乏しいものについては、本来の厳密な会計処理によらないで他の簡便な方法によることも正規の簿記の原則に従った処理として認められる。」と規定し、貸借対照表原則一において、「正規の簿記の原則に従って処理された場合に生じた簿外資産及び簿外負債は、貸借対照表の記載外におくことができる。」としていることから、正規の簿記の原則は、会計帳簿を作成するうえでの単なる記録形式に関する原則としてだけでなく、会計処理をも含めた会計全般に関する包括原則であるという見解である。

正規の簿記の原則を記録・表示といった会計の形式面のみならず、認識・測定といった会計の実質面にも関する原則であると捉えると、当該原則は、具体的に次の３つの内容を要請していると解することができる。

(1) 適正な会計処理

(2) 正確な会計帳簿の作成

(3) 誘導法による財務諸表の作成

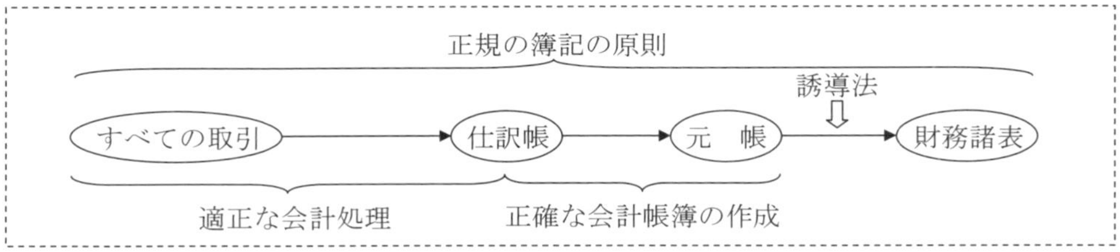

なお、誘導法とは複式簿記による継続的な帳簿記録から各項目を誘導することによって財務諸表を作成する方法をいう。つまり、損益計算書は、帳簿記録から当期の収益、費用項目を誘導することにより作成され、また、貸借対照表は、帳簿記録から資産、負債及び純資産項目が誘導されることにより作成されるのである。

2　正確な会計帳簿の具備要件

正規の簿記の原則が要請する正確な会計帳簿とは、(1)網羅性、(2)検証性、(3)秩序性の３つの要件を兼ね備えた会計帳簿をいい、一般的には複式簿記の原理に基づく会計帳簿が一定の要件を兼ね備えた正確な会計帳簿に該当すると解されている。

なお、前述の３つの具備要件の内容は、次のとおりである。

(1)　網羅性

網羅性とは、会計帳簿に記録すべき事実はすべて正しく記録されていることをいう。

(2)　検証性

検証性とは、記録はすべて客観的に証明可能な証拠資料に基づいていることをいう。

(3)　秩序性

秩序性とは、すべての記録が一定の法則に従って組織的・体系的に秩序正しく行われていることをいう。

第6問　資本・利益区別の原則

重要度	A

企業会計原則・一般原則三に規定する資本・利益区別の原則に関して以下の各問に答えなさい。

1　下記の規定の空欄にあてはまる適当な語句を答えなさい。

① と ② とを明瞭に区別し、特に ③ と ④ とを混同してはならない。

2　資本・利益区別の原則には、具体的な内容として資本取引・損益取引区別の原則と資本剰余金・利益剰余金区別の原則の２つがある。これに関して次の(1)及び(2)に答えなさい。

(1) 資本取引・損益取引区別の原則に関して次に示す①～③について端的に説明しなさい。

① 資本概念

② 要請内容

③ 必要性

(2) 資本剰余金・利益剰余金区別の原則に関して次に示す①～③について端的に説明しなさい。

① 資本概念

② 要請内容

③ 必要性

3　資本・利益区別の原則に関する以下の記述のうち、適切なものを１つ選択し、その記号を答案用紙に記入しなさい。

ア　新株発行は資本取引であるため、当該新株発行に伴う発行費（株式交付費）の支払いも資本取引である。

イ　新株発行による株式払込剰余金（資本準備金）から当該新株発行に伴う発行費（株式交付費）を控除する会計処理は認められない。

＜解答欄＞

1

①		②	
③		④	

2 (1)

①	
②	
③	

(2)

①	
②	
③	

3

テーマ2 一般原則

解　答

1

①	資本取引	②	損益取引
③	資本剰余金	④	利益剰余金

2 (1)

①	期首自己資本（別解：期首株主資本）
②	期首の自己資本そのものの増減と自己資本の利用による増減とを明確に区別すること3を要請している。
③	適正な期間損益計算を行うためである。

(2)

①	拠出資本（別解：払込資本）
②	期末自己資本内部において1、資本取引から生じた資本剰余金と損益取引から生じた利益剰余金とを明確に区別すること2を要請している。
③	企業の財政状態及び経営成績の適正な開示を行うためである。

3

イ

【配　点】

1　各2点　　2　(1)①　2点　②　3点　③　2点　(2)①　3点　②　3点
③　2点　　3　2点　　合計25点

解答への道

1　資本・利益区別の原則の要請内容

資本・利益区別の原則は、究極的には資本と利益を峻別することを要請するものであるが、この原則には資本の捉え方により２つの側面がある。

(1) 資本取引・損益取引区別の原則

この原則における資本概念は、期首自己資本を意味する。つまり、企業が維持すべき資本の大きさは期首自己資本の大きさであり、これを維持してなお余りある余剰としての期間利益を確定するため、期首自己資本そのものの増減分と自己資本の利用の結果生ずる自己資本増殖分（利益）とを明確に区別することが要請される。

(2) 資本剰余金・利益剰余金区別の原則

この原則における資本概念は、企業内に維持拘束すべき期末自己資本内部における拠出資本を意味する。つまり、期末自己資本内部において、拠出資本を表す資本金と資本剰余金以外に、過去における稼得資本のうち企業内部に留保された利益剰余金が含まれているが、その両者の特質は全く異なっている。つまり、資本金と資本剰余金は維持拘束性を特質とするものであり、利益剰余金は処分可能性を特質とするものである。したがって、期末自己資本内部における資本（拠出資本）と利益（稼得資本）の構成を明確に区別することが要請されるのである。

以上の２つの原則の関係を図示すると、次のようになる。

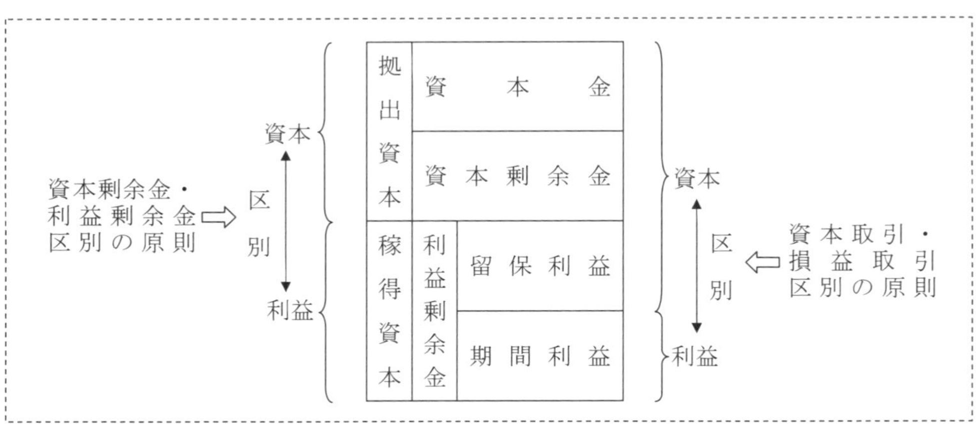

2　資本と利益の区別の必要性

(1) 資本取引と損益取引の区別

自己資本の増減に係る取引はその性格に応じて、資本取引と損益取引とに二分される。ここに資本取引とは期首の自己資本そのものの増減変動に関する取引、すなわち拠出資本と留保利益それ自体を直接増減させる取引をいう。また、損益取引とは自己資本の利用による増減取引、すなわち収益・費用を生ぜしめる取引をいう。

ところで、会計にとって適正な期間利益を算定することは非常に重要な意味をもつが、この期間利益は、期間収益と期間費用の差額として算定される。言い換えるならば、期中の損益取引を記録した結果、期間利益が算定されるのである。

つまり、資本取引と損益取引を区別しなければならないのは、もしそれがなされないと、企業の期間利益が過大又は過小に算定されることとなり、そのような会計情報は利害関係者の意思決定を害することになるからである。

(2) 資本剰余金と利益剰余金の区別

資本剰余金と利益剰余金の区別は、期末自己資本内部の区別であり、維持拘束性を特質とする資本と処分可能性を特質とする利益とに区別することを要請するものである。ここでの資本は拠出資本に限定されるのに対して、利益は期間利益だけではなく過去の損益取引を源泉とした留保利益も含むこととなる。すなわち、資本剰余金は、拠出資本の直接的な増減変動による資本取引を源泉とする剰余金であり、利益剰余金は、期間利益と留保利益の増減変動による損益取引を源泉とする剰余金である。この特質の異なる両者が混同されると資本の侵食や利益の隠匿を招き、企業の財政状態及び経営成績が歪められることとなる。それゆえ、企業の財政状態及び経営成績を適正に示すために資本剰余金と利益剰余金の区別が必要となるのである。

3　正誤問題

ア　×

新株発行は資本取引であるが、当該新株発行に伴う発行費（株式交付費）の支払いは損益取引である。

イ　○

第7問 明瞭性の原則

重要度 B

企業会計原則・一般原則四に規定する明瞭性の原則に関して以下の各問に答えなさい。

1 下記の規定の空欄にあてはまる適当な語句を答えなさい。

> 企業会計は、［ ① ］によって、［ ② ］に対し必要な会計事実を明瞭に表示し、企業の状況に関する［ ③ ］を誤らせないようにしなければならない。

2 明瞭性の原則が要請する内容について説明しなさい。

3 次に示す①～⑤のうち、明瞭性の原則の要請内容と照らし合わせて最も合致しないものを選びなさい。

> ① 貸借対照表の資産の部を流動資産、固定資産、繰延資産に区分する。
> ② 重要な後発事象を開示する。
> ③ 損益計算書において、科目を可能な限り細分化して表示する。
> ④ 損益計算書、貸借対照表ともに、その附属明細表を作成する。
> ⑤ 重要事項を注記によって補足する。

<解答欄>

1

①		②	
③			

2

3

解　答

1

①	財務諸表	②	利害関係者
③	判断		

2

明瞭性の原則は、財務諸表による会計情報の適正開示[5]と明瞭表示[5]を要請している。

3

③

【配　点】
1　各４点　　2　10点　　3　３点　　合計25点

解答への道

1　明瞭性の原則の要請内容

明瞭性の原則は、財務諸表が真実な報告であるための条件として要求されている原則である。いくら正しい会計処理が行われていても、その表示が不明瞭では、利害関係者にとって必要な会計情報が正しく伝達されないことになるからである。そこで、財務諸表を通じ必要な会計事実を、適正かつ明瞭に表示することを要請しているのが明瞭性の原則である。

2　明瞭性の原則の必要性

利害関係者にとって財務諸表が企業の情報を知る唯一の手立てであるため、より一層企業の状況に関する判断を誤らせないような財務諸表（会計情報）の報告が必要となる。すなわち、利害関係者がその内容を十分理解し、自己責任に基づき適切な意思決定ができるような会計情報の適正開示と明瞭表示が要請されるのである。

3　適正開示と明瞭表示の具体例

明瞭性の原則が要請する適正開示と明瞭表示の具体例には次のようなものがある。

(1)　重要な会計方針を開示する

財務諸表の作成にあたっての前提を明らかにすることによって、利害関係者の財務諸表によるその財政状態及び経営成績の理解を助けるためである。

(2) 重要な後発事象を開示する

当該企業の将来の財政状態及び経営成績を理解するための補足情報として有用であるためである。

(3) 区分表示の原則に従う

財務諸表を区分表示することにより、企業の財政状態及び経営成績を明瞭に表示し、利害関係者の理解可能性を高めるためである。

(4) 総額主義の原則に従う

企業の取引の量的規模や財政規模を明らかにするためである。

(5) 科目の設定にあたって概観性を考慮する

財務諸表の作成にあたっては、項目をどのように設定するかを決定しなければならないが、利害関係者に企業の財政状態及び経営成績を明瞭に表示するためには、概観性をもたせることによって、企業の経営内容について、容易に把握できるように考慮しなければならない。

(6) 重要事項を注記によって補足する

財務諸表の記載事項に係る補足説明として、受取手形の割引高・裏書譲渡高、保証債務等の偶発債務、担保提供資産等の注記が要求されている。

(7) 重要項目には附属明細表を作成する

主要な財務諸表である損益計算書及び貸借対照表は、概観性が重視されるため、個々の項目の具体的な細目は表れてこない。そこで、重要な項目について、詳細な情報を提供することによって、概観性重視から生じる情報不足を補うために必要となる。

（MEMO）

第8問　継続性の原則

重要度	A

企業会計原則・一般原則五に規定する継続性の原則に関して以下の各問に答えなさい。

1　下記の規定の空欄にあてはまる適当な語句を答えなさい。

> 企業会計は、その処理の［①］を［②］して適用し、［③］これを変更してはならない。

2　継続性の原則が遵守されなかった場合の問題点について説明しなさい。

3　2で示した問題点があるにもかかわらず、ある考え方から企業会計原則は複数の会計処理方法を認め、その中から企業に適合する方法を選択する自由を認めている。その考え方の名称を答えなさい。

4　継続性の原則は、会計処理方法の変更を絶対に認めないわけではない。どのような場合であれば変更が認められるのか端的に答えなさい。

＜解答欄＞

1

①		②	
③			

2

3

4

解　答

1

①	原則及び手続	②	毎期継続
③	みだりに		

2

継続性の原則が遵守されない場合には、経営者に利益操作の余地を与える[4]こととなり、財務諸表の期間比較性が確保されない[4]ことになるという問題点がある。

3

経理自由の原則

4

継続性の変更は、「正当な理由」がある場合[4]に認められる。

【配　点】

1　各３点　　2　８点　　3　４点　　4　４点　　合計25点

解答への道

1　継続性の原則の必要性

継続性の原則が問題とされるのは、「一つの会計事実について、二つ以上の会計処理の原則又は手続の選択適用が認められている場合」である。

企業はその業種、規模、経営方針などが多様であり、企業ごとに相違している。そのため、一つの会計事実について一つの会計処理の原則又は手続だけを定め、これをすべての企業に強制することは、それが合理性をもたない企業において、財務諸表の相対的真実性が保証されないことになる。そこで、一般に公正妥当と認められた企業会計原則においては、一つの会計事実について二つ以上の会計処理の原則及び手続を定め、企業がこれらの中から妥当と判断する原則又は手続を選択する自由を認めている。この考え方は、一般に「経理自由の原則」といわれている。

継続性の原則は、このように、いくつかの選択適用が認められた会計処理の原則又は手続が存在する場合に、いったん採用した会計処理の原則及び手続を毎期継続して適用することを要請するものである。

なお、この原則が必要とされる理由としては、次の２点があげられる。

(1) 利益操作の排除

今日の会計における処理及び手続の多様性の結果、どの方法を選択適用するかによって異なった利益額が算定されることになるが、毎期同一の方法が用いられている限り、そこには利益操作の行われる余地はなく、したがって、そのようにして作成された財務諸表は真実なものと考えられるのである。

(2) 財務諸表の期間比較性の確保

たとえ会計処理の原則及び手続を変更することが､利益操作を意図していないにしても、異なった会計処理の原則及び手続によって作成された財務諸表は、比較可能性をもたないことになる。したがって、継続性の原則を守ることは、財務諸表の会計期間ごとの比較を可能にすることによって、企業の状況についてより適切な判断と意思決定とを行いうる情報を利害関係者に提供するのに役立つのである。

2　継続性の変更

継続性の原則は、利益操作の排除及び財務諸表の期間比較性の確保をとおして、利害関係者の関心に適合する真実な報告を行うための手段である。したがって、企業内外の諸条件の変化によって、選択していた従来の会計処理の原則又は手続では、企業の財政状態及び経営成績を合理的に計算することができないという「正当な理由」がある場合には、当然にその変更は認められなければならない。

ここに「正当な理由」とは、変更した方が、かえって真実な報告となるような適用条件の変化を指すが、具体的には、企業の内的理由によるものと外的理由によるものとに分けることができる。

(1) 内的理由によるもの

企業の大規模な経営方針の変更（取扱品目の変更、製造方法の変更、経営組織の変更等）

(2) 外的理由によるもの

経済環境の急激な変化（国際経済環境の急変、急激な貨幣価値の変動、関連法令の改廃等）

（MEMO）

第9問　保守主義の原則

重要度	B

企業会計原則・一般原則六に規定する保守主義の原則に関して以下の各問に答えなさい。

1　下記の規定の空欄にあてはまる適当な語句を答えなさい。

> 企業の財政に ① を及ぼす可能性がある場合には、これに備えて ② な会計処理をしなければならない。
>
> 企業会計は、予測される ③ に備えて ④ に基づく会計処理を行わなければならないが、 ⑤ な会計処理を行うことにより、企業の財政状態及び経営成績の ⑥ をゆがめてはならない。

2　保守主義の原則に関する以下の記述について、誤っている箇所がある場合には×印を、誤っている箇所がない場合には○印を記入しなさい。

「定額法及び定率法は、一般に公正妥当と認められる減価償却の方法であり、このうち定率法は、慎重な判断に基づく会計処理であるため、減価償却の方法を選択するにあたっては、いかなる場合であっても定率法を選択しなければならない。」

＜解答欄＞

1

①		②	
③		④	
⑤		⑥	

2

テーマ2

一般原則

解　答

1

①	不利な影響	②	適当に健全
③	将来の危険	④	慎重な判断
⑤	過度に保守的	⑥	真実な報告

2

×

【配　点】

1　各４点　　**2**　１点　　　合計25点

解答への道

1　保守主義の原則の要請内容

企業会計原則・一般原則六においては、保守主義の原則を適用する前提条件として、「企業の財政に不利な影響を及ぼす可能性がある場合」に限定されることが明示されており、保守主義の原則の適用方法としては、「適当に健全な会計処理」を要求している。

さらに、企業会計原則・注解４においては、「企業会計は、予測される将来の危険に備えて慎重な判断に基づく会計処理を行わなければならないが、過度に保守的な会計処理を行うことにより、企業の財政状態及び経営成績の真実な報告をゆがめてはならない。」と規定している。

この注解を通じて明らかになったのは、以下の点である。すなわち、①「企業の財政に不利な影響を及ぼす可能性」とは、「予測される将来の危険」を意味し、②「適当に健全な会計処理」とは、「慎重な判断に基づく会計処理」を意味しているということである。また、これに加えて、「過度に保守的な会計処理」を禁じているのである。

総じて、企業会計原則にいう保守主義の原則は、将来の危険から企業を守り、企業財政の安全性を図るところに目的がおかれている。それゆえ、保守主義の原則は安全性の原則ともいわれるのである。

2　正誤問題

定額法及び定率法は、一般に公正妥当と認められる減価償却の方法であり、このうち定率法は、慎重な判断に基づく会計処理であるが、会計処理を選択するにあたっては、企業の実情に照らして最も適切に財政状態及び経営成績を開示できるものを選択すべきであり、保守主義についての考慮は副次的に行うべきである。

第10問　重要性の原則

重　要　度	B

企業会計原則注解・注１に規定する重要性の原則に関して以下の各問に答えなさい。

1　下記の規定の空欄にあてはまる適当な語句を答えなさい。

> 企業会計は、定められた会計処理の方法に従って正確な計算を行うべきものであるが、企業会計が目的とするところは、企業の［①］を明らかにし、企業の状況に関する［②］を誤らせないようにすることにあるから、［③］については、［④］によらないで［⑤］によることも、［⑥］に従った処理として認められる。
>
> 重要性の原則は、財務諸表の［⑦］に関しても適用される。

2　空欄③と判断するための基準について説明しなさい。

3　空欄⑤のような方法が認められる理由を説明しなさい。

4　重要性の原則の適用例を企業会計原則注解の中から２つあげなさい。ただし、注１に示す適用例については解答の対象外とする。

＜解答欄＞

1

①		②	
③		④	
⑤		⑥	
⑦			

2

3

4 (1)

(2)

解　答

1

①	財務内容	②	利害関係者の判断
③	重要性の乏しいもの	④	本来の厳密な会計処理
⑤	他の簡便な方法	⑥	正規の簿記の原則
⑦	表示		

2

重要性の有無については、利害関係者の意思決定に及ぼす影響の度合い2により判断する。すなわち、利害関係者の意思決定に影響を及ぼす事項を重要性が高いもの2とみなし、意思決定に影響を及ぼさない事項を重要性の乏しいもの2と判断する。

3

重要性の乏しいものについて、簡便な処理・表示を行っても、利害関係者の判断を誤らせることとはならず2、このような状況のもとで厳密な処理・表示を要請することは、計算経済性の観点からも不合理である2ためである。

4 (1)

特別損益に属する項目のうち、重要性の乏しいもの2については、経常損益計算に含めて表示すること2ができる。

(2)

法人税等の更正決定等による追徴税額及び還付税額のうち、重要性の乏しいもの2については、当期の負担に属するものに含めて、表示すること2ができる。

【配　点】

1　各1点　　2　6点　　3　4点　　4　(1)　4点　(2)　4点

合計25点

解答への道

1　重要性の原則の容認内容

重要性の原則は、重要性の乏しいものについて本来の厳密な処理・表示によらないで、他の簡便な処理・表示を容認する原則である。

2　簡便な処理・表示が容認される範囲

簡便な処理・表示を行った結果、企業の財政状態や経営成績に対する利害関係者の判断を誤らせてしまったのでは、企業の状況に関する真実な報告を要求する真実性の原則に反することとなる。

よって、重要性の原則は、企業の財政状態や経営成績に対する利害関係者の判断を誤らせないという限りにおいて、簡便な処理・表示を容認しているのである。

3　重要性の判断基準

ある項目について重要性が高いか乏しいかの判断は、利害関係者の意思決定に及ぼす影響の度合いにより判断される。

なお、重要性の有無の具体的な判断基準としては、量的重要性（金額的重要性）と質的重要性（科目的重要性）がある。

利害関係者の意思決定に及ぼす影響の度合い
- 影響を及ぼす事項→重要性が高い → 本来の厳密な方法
- 影響を及ぼさない事項→重要性が乏しい → 簡便な方法（↑計算経済性の原則）

上記の図から明らかなように、利害関係者の判断を誤らせないという意味での重要性の乏しい項目に対して、計算経済性の観点から、簡便な方法の適用を認めているのである。

4　重要性の原則の適用例

重要性の原則の適用例として企業会計原則注解に記載されているものには、次のものがある。

【企業会計原則注解・注１】

……重要性の原則の適用例としては、次のようなものがある。

(1) 消耗品、消耗工具器具備品その他の貯蔵品等のうち、重要性の乏しいものについては、その買入時又は払出時に費用として処理する方法を採用することができる。

(2) 前払費用、未収収益、未払費用及び前受収益のうち、重要性の乏しいものについては、経過勘定項目として処理しないことができる。

(3) 引当金のうち、重要性の乏しいものについては、これを計上しないことができる。

(4) たな卸資産の取得原価に含められる引取費用、関税、買入事務費、移管費、保管費等の付随費用のうち、重要性の乏しいものについては、取得原価に算入しないことができる。

(5) 分割返済の定めのある長期の債権又は債務のうち、期限が一年以内に到来するもので重要性の乏しいものについては、固定資産又は固定負債として表示することができる。

【企業会計原則注解・注12】

……なお、特別損益に属する項目であっても、金額の僅少なもの又は毎期経常的に発生するものは、経常損益計算に含めることができる。

【企業会計原則注解・注13】

法人税等の更正決定等による追徴税額及び還付税額は、税引前当期純利益に加減して表示する。この場合、当期の負担に属する法人税額等とは区別することを原則とするが、重要性の乏しい場合には、当期の負担に属するものに含めて表示することができる。

本問においては、注解1に示す適用例以外のものを解答すべきことが要求されていることから、注解12及び注解13に基づく適用例を解答することとなる。

（MEMO）

テーマ3　損益会計

第11問　損益会計総論

重要度	B

企業会計における期間損益計算の計算構造は、時代の経過とともに現金主義会計から発生主義会計へと移行してきている。これは現金主義会計が経済社会の発展やそれに伴う企業の大規模化に伴い、次第に企業の業績評価を重視する現代会計に対して現実適合性を失っていったためである。

これに関して以下の各問に答えなさい。

1　現金主義会計の内容について説明しなさい。なお、測定面について触れる必要はない。

2　上記文章中の下線部を重視するための会計体系として、発生主義会計がある。その内容を説明しなさい。なお、測定面について触れる必要はない。

3　時代の経過とともに現金主義会計から発生主義会計へ移行した主な要因を端的に３つ指摘しなさい。

4　現行の企業会計原則においては、上記１及び２で示した会計体系とは異なる体系を有している。現行の企業会計原則における収益・費用の認識及び測定の方法について説明しなさい。

5　現行の企業会計原則が上記４で示したような収益・費用の認識及び測定の方法を採用している理由を説明しなさい。

＜解答欄＞

1

2

3

(1)	
(2)	
(3)	

4

5

解　答

1

現金主義会計とは、現金主義の原則に基づいて収益・費用を認識2し、両者の差額として利益を計算する会計体系1をいう。 ここに、現金主義の原則とは、現金収支に基づいて収益・費用を認識する原則1をいう。

2

発生主義会計とは、発生主義の原則に基づいて収益・費用を認識2し、両者の差額として利益を計算する会計体系1をいう。 ここに、発生主義の原則とは、経済価値の増減に基づいて収益・費用を認識する原則1をいう。

3

(1)	信用経済制度の発展
(2)	棚卸資産在庫の恒常化
(3)	固定設備資産の増大

4

企業会計原則においては、収益は実現主義の原則により認識2される。また、費用は発生主義の原則及び費用収益対応の原則によって認識4される。 一方、収益・費用の測定に関しては、収支額基準に基づいて、収支額により測定1される。

5

現行の企業会計原則は、処分可能利益の計算という制約を受けながら2も、その枠内でできるだけ正確な期間損益計算を行おう2と思考しているためである。

【配　点】
1　4点　　2　4点　　3　各2点　　4　7点　　5　4点　　　合計25点

解答への道

1　現金主義会計

収益・費用の測定の内容を含めて、現金主義会計の内容を確認すると次のようになる。

(1) 内　容

現金主義会計とは、現金主義の考え方を中心にまとめられた会計体系である。

現金主義会計において収益・費用は、現金主義の原則により認識され、収支額基準により測定される。このように認識・測定された収益・費用の差額によって期間利益を算定する会計体系（システム）を現金主義会計という。

(2) 現金主義の原則

現金主義の原則とは、現金収支に基づいて収益・費用を認識する原則であり、現金の収入事実に基づいて収益を、支出事実に基づいて費用を認識する。

(3) 収支額基準

収支額基準とは、収益・費用を収支額に基づいて測定する基準であり、収入額に基づいて収益の額を、支出額に基づいて費用の額を測定する。

2　発生主義会計

収益・費用の測定の内容を含めて、発生主義会計の内容を確認すると次のようになる。

(1) 内　容

発生主義会計とは、発生主義の考え方を中心にまとめられた会計体系である。

発生主義会計において収益・費用は、発生主義の原則により認識される。このように認識・測定された収益・費用の差額によって期間利益を算定する会計体系（システム）を発生主義会計という。

(2) 発生主義の原則

発生主義の原則とは、経済価値の増減に基づいて収益・費用を認識する原則であり、経済価値の増加に基づいて収益を、経済価値の減少に基づいて費用を認識する。

3　現金主義会計から発生主義会計へ移行した理由

当初において、期間利益を計算する仕組みとして現金主義会計が採用されていたが、経済社会の発展とそれに伴う企業の大規模化により、次第に適正な期間利益を計算し得なくなり、現実適合性を失っていった。そこで、現金主義会計の限界を克服するための仕組みとして発生主義会計が登場したのである。

(1) 現金主義会計と発生主義会計における会計処理方法の相違

現金主義会計と発生主義会計の相違は、次のような項目の会計処理方法の相違として具体的に表れる。

	現金主義会計	発生主義会計
売　上　高	現金売上高のみが当期の売上高となる。	現金売上高のみならず、掛売上高や手形売上高も当期の売上高となる。
売上原価	期首及び期末の棚卸資産在庫は売上原価の算定にあたり無視される。 売上原価＝当期仕入高	期首及び期末の棚卸資産在庫が売上原価の算定にあたり考慮される。 売上原価＝期首有高 ＋当期仕入高 －期末有高
減価償却	固定資産の取得のための支出は全額支出時の費用として処理されるため、減価償却費は計上されない。	固定資産の経済価値の減少という事実に照らして減価償却費が計上される。

(2) 現金主義会計と発生主義会計の前提とする経営条件の相違

現金主義会計と発生主義会計における前記のような会計処理方法の相違は、これら２つの会計の仕組みが、それぞれ前提とする経営条件の相違に起因するものである。

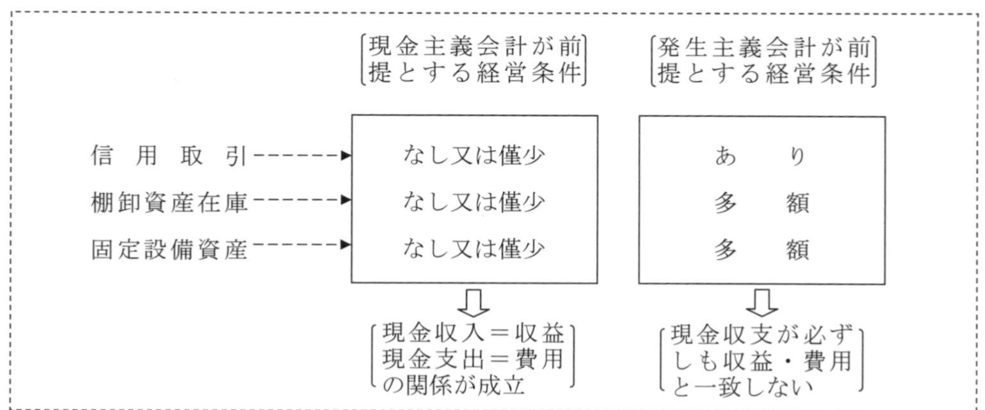

伝統的な企業会計においては発生主義会計が支配的であるが、これは企業の経営条件が、発生主義会計が前提とする経営条件に合致しているためである。

4　企業会計原則に準拠した発生主義会計

伝統的な企業会計は、投資者保護のための企業の収益力の算定・表示を目的としている。このためには適正な期間損益計算を行い、各会計期間ごとの業績を示す業績利益の算定を行わなければならない。

この業績利益を算定するためには、収益・費用の認識方法として発生主義の原則が採用されるのが望ましい。発生主義の原則によれば企業の努力と成果が期間損益計算に適切に反映されることとなるためである。しかし、発生主義の原則に基づいて認識される収益は、客観性や確実性のない主観的な見積りにより計上された収益となってしまう。

伝統的な企業会計は、収益力の算定・表示を目的としつつも、算出利益は処分可能利益でなければならないという制度的特質から、収益については発生主義の原則により認識することはできず、客観性や確実性の得られる実現の時点で認識する実現主義の原則が採用されることとなるのである。

このこととの関連で、費用については発生主義の原則及び費用収益対応の原則により認識されるのである。

また、測定については収支額基準に基づき、収益は収入額、費用は支出額により測定されることになる。

前述のような企業会計原則に準拠した発生主義会計の具体的な枠組みを図示すると、次のようになる。

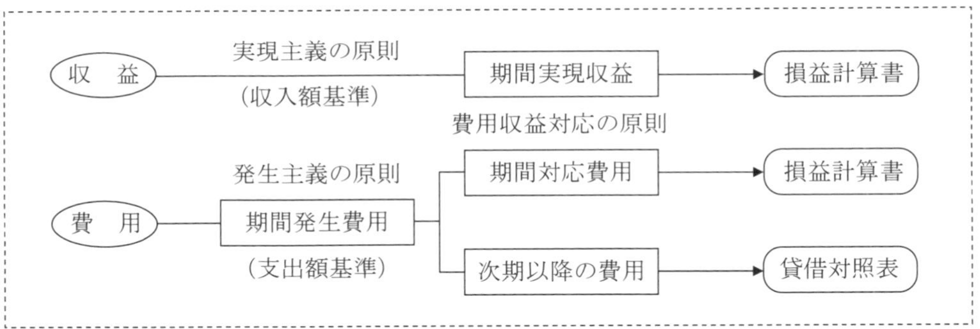

この企業会計原則に準拠した発生主義会計の枠組みについて、企業会計原則・損益計算書原則一及び一Aにおいて次のように規定されている。

【企業会計原則・損益計算書原則一】

損益計算書は、企業の経営成績を明らかにするため、一会計期間に属するすべての収益とこれに対応するすべての費用とを記載して経常利益を表示し、これに特別損益に属する項目を加減して当期純利益を表示しなければならない。

テーマ3　損益会計

【企業会計原則・損益計算書原則一A】

すべての費用及び収益は、その支出及び収入に基づいて計上し、その発生した期間に正しく割当てられるように処理しなければならない。ただし、未実現収益は、原則として、当期の損益計算に計上してはならない。…

第12問　収益の認識

重要度	B

次の文章は、「企業会計原則」を抜粋したものである。以下の各問に答えなさい。

> 損益計算書は、企業の［ ① ］を明らかにするため、一会計期間に属するすべての収益とこれに対応するすべての費用とを記載して［ ② ］を表示し、これに［ ③ ］に属する項目を加減して［ ④ ］を表示しなければならない。
>
> すべての費用及び収益は、その［ ⑤ ］及び［ ⑥ ］に基づいて計上し、その［ ⑦ ］した期間に正しく割当てられるように処理しなければならない。
>
> ただし、未実現収益は、原則として、当期の［ ⑧ ］に計上してはならない（以下省略）。

問１　上記空欄［ ① ］から［ ⑧ ］に当てはまる適切な語句を記入しなさい。

問２　上記下線部でいう実現の基本的要件を２つあげなさい。

＜解答欄＞

問１

①		②	
③		④	
⑤		⑥	
⑦		⑧	

問２

第１の要件	
第２の要件	

テーマ3　損益会計

解　答

問１

①	経営成績	②	経常利益
③	特別損益	④	当期純利益
⑤	支出	⑥	収入
⑦	発生	⑧	損益計算

問２

第１の要件	財貨・役務の引渡し・提供
第２の要件	対価としての貨幣性資産（現金又は現金等価物）の受領

【配　点】

問１　各２点　**問２**　９点（完答）　合計25点

解答への道

問１について

損益計算書は、企業の**経営成績**①を明らかにするため、一会計期間に属するすべての収益とこれに対応するすべての費用とを記載して**経常利益**②を表示し、これに**特別損益**③に属する項目を加減して**当期純利益**④を表示しなければならない。

すべての費用及び収益は、その**支出**⑤及び**収入**⑥に基づいて計上し、その**発生**⑦した期間に正しく割当てられるように処理しなければならない。

ただし、未実現収益は、原則として当期の**損益計算**⑧に計上してはならない。

問２について

企業会計原則のもとでは、収益は実現主義の原則により認識される。ここに、実現主義の原則とは、収益を実現の事実に基づいて計上することを要請する収益の認識原則である。なお、実現の事実とは、①財貨・役務の引渡し・提供と②対価としての貨幣性資産（現金又は現金等価物）の受領を意味する。したがって、実現の要件は上記①及び②となる。

（MEMO）

第13問　費用の認識・収益費用の測定

重要度	B

下記に示す文章に関して以下の各問に答えなさい。

> 企業会計原則に準拠した発生主義会計において、収益は実現主義の原則により認識され、期間実現収益が把握される。これに対して、費用はまず発生主義の原則により認識され、期間発生費用が把握された後、費用収益対応の原則によって期間実現収益と対応する期間対応費用が抜き出される(a)。
>
> また、収益及び費用の測定に関しては、収支額基準(b)に基づいて測定される。

1　費用の認識原則である発生主義の原則の内容について説明しなさい。

2　上記1における費用の発生の意味（広義説）について説明しなさい。

3　下線部(a)に関して、次に示す(1)及び(2)の収益と費用がどのような関係に基づいて対応が図られているのか説明しなさい。

(1) 売上高と売上原価

(2) 売上高と販売費及び一般管理費

4　下線部(b)に関して、「収支額」の意味について説明しなさい。

<解答欄>

1

2

3

(1)	
(2)	

4

テーマ3 損益会計

解　答

1

発生主義の原則とは、費用を発生の事実[2]に基づいて計上することを要請する費用の認識原則[2]である。

2

費用の発生とは、財貨又は用役の価値費消事実の発生[3]と財貨又は用役の価値費消原因事実の発生[3]を意味する。

3

(1)	売上高と売上原価は、商品・製品を媒介[2]として、直接的な因果関係に基づいて、収益と費用の対応[2]が図られている。
(2)	売上高と販売費及び一般管理費は、会計期間を媒介[2]として、間接的な因果関係に基づいて、収益と費用の対応[2]が図られている。

4

収支額とは、当期の収支額だけでなく、過去の収支額及び将来の収支額を含む[5]、広義の収支額[2]を意味する。

【配　点】

1　4点　　2　6点　　3 (1)　4点　(2)　4点　　4　7点　　合計25点

解答への道

1　費用の認識

企業会計原則に準拠した発生主義会計においては、算出利益は処分可能利益でなければならない。したがって、未実現利益の計上は避けなければならず、そのためには収益は実現主義の原則によって認識される。つまり、損益計算の２大要素である収益と費用のうち、まず収益が確定されるわけである。そして、その収益との対応関係に基づいて費用が決定されることとなる。その場合、処分可能利益計算という制約の枠内において、より正確な期間損益計算を行うためには、確定された期間実現収益に対応する費用を認識しなければならない。そこで、費用については、期間実現収益と対応しているか否かにかかわらず、また、その支出がなされたか否かにかかわらず、とにかく費用として発生したものはすべて認識しておいて、そのなかから、期間実現収益と対応するものを限定するという認識方法をとるのである。ここにおいて、発生した費用を認識するという費用の認識原則を発生主義の原則といい、その発生費用のなかから期間実現収益に対応するものを限定する原則、換言するなら、期間対応費用（損益計算書上の費用）を認識する原則を費用収益対応の原則というのである。

この関係を示したものが、次の図である。

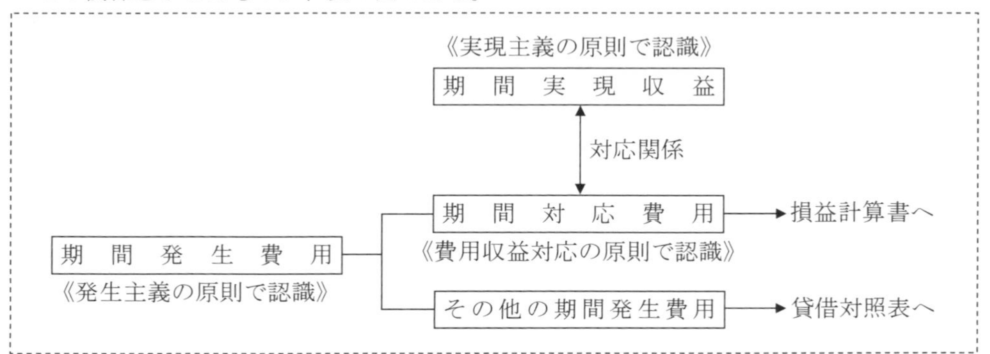

2　発生主義の原則における「発生」の意味

費用の発生とは、財貨又は用役の価値費消事実の発生と財貨又は用役の価値費消原因事実の発生を意味する。

一般に、費用の発生とは、財貨又は用役の費消と、それと同時に生じてくると推定される経済価値の減少を意味する。しかし、財貨又は用役の費消が未だ生じていなくとも、その原因事実の発生をもって経済価値の減少を把握しようとする考え方がある。これが費消原因事実の発生という意味である。

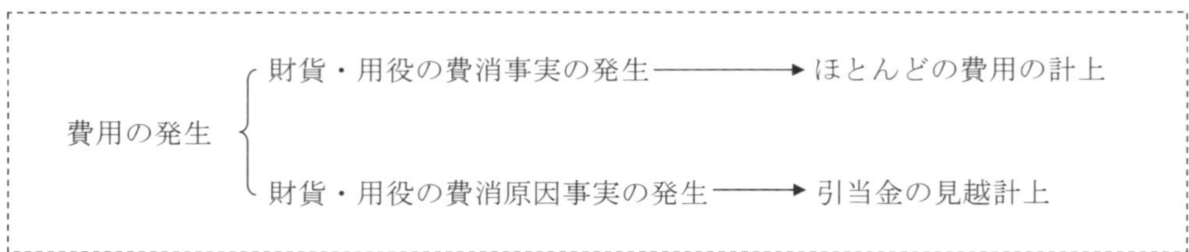

例えば、修繕引当金繰入額を計上するのは、当期において設備の使用があり、それが原因となって将来、修繕や保守点検が必要となるためである。つまり、設備の使用という原因事実が当期に発生しているため、発生主義の原則により、当期の費用として認識されるのである。

3　収益・費用の対応

適正な期間損益計算を行うためには、因果関係をもった費用と収益を適正に対応させなければならない。この費用と収益の対応形態には、次の２つがある。

(1) 個別的対応

個別的対応とは、売上高と売上原価のように、その収益と費用とが、商品又は製品を媒介とする直接的な対応関係をいう。

(2) 期間的対応

期間的対応とは、売上高と販売費及び一般管理費のように、その収益と費用とが会計期間を唯一の媒介とする間接的な対応関係をいう。

4　収益・費用の測定

企業会計原則に準拠した発生主義会計において収益・費用の測定は、収支額基準に基づいて行われる。

収益・費用が収支額基準によって測定されるのは、処分可能利益の算定という制約があるためである。すなわち、算出利益が処分可能利益であるということは、剰余金の配当等により企業外に流出しても、元本としての資本が確保されたうえでの余剰としての利益であるということを意味し、処分可能性が求められる。そのためには、収益や費用も収入額や支出額に基づいて測定しなければならないのである。

また、収支額基準によれば、現金収支といった実際の取引に基づいて測定されるため、確実性や客観性をみたすことができるためである。

テーマ4　資産会計

第14問　資産会計総論①

重要度　A

1　伝統的動的会計観における資産の定義について資金の流れに着目して説明しなさい。

2　資産を損益計算との関係から分類し、それぞれの評価を述べなさい。

<解答欄>

1

2

解　答

1

資産とは、企業活動の一定時点における企業資本の運用形態を示すもの5である。

2

資産を損益計算との関係から分類すると、貨幣性資産と費用性資産に分類5され、それぞれ次のように評価される。

貨幣性資産は、回収可能価額5によって評価される。

費用性資産は、原価主義の原則2によって、当該資産の取得に要した支出額、すなわち取得原価3に基づき評価される。

また、費用性資産の取得原価は、費用配分の原則2によって各会計期間に費用として配分され、費用配分後の残余部分が各会計期間末における評価額3となる。

【配　点】

1　5点　　2　20点　　合計25点

解答への道

1　企業資本の運用形態を示すものとする資産の本質観

企業は資本を調達し、その調達した資本を運用することによって経営活動を行うが、ここでいう企業資本とは、他人資本である負債と自己資本である純資産（ここでは株主資本と同一のものと捉えている）の合計である総資本のことである。すなわち、企業が活動を行うにあたって必要不可欠な資金を意味するものである。

また、総資本を構成する他人資本とは、金融機関からの金銭の借入等がその具体例であり、株主からの出資を表す自己資本とともに、企業資本の調達源泉を表している。

したがって、企業活動を行ううえでの資本をどこから調達したのか、その資本の調達源泉を貸借対照表の貸方側で表しており、その調達した資本が、一定時点（決算日）において、どのように使われているか、その資本の運用形態を借方側で表しているのである。

2　資産の分類

(1) 流動・固定分類

企業の支払能力又は財務流動性に着目する分類方法により、資産を流動資産と固定資産に分類することで、企業の財政状態の把握が可能となる。

資産を流動・固定に分類する主な基準には正常営業循環基準と１年基準がある。

①　正常営業循環基準

正常営業循環基準とは、企業の正常な営業循環過程を構成する資産は、すべて流動資産に属するものとする基準をいう。

②　１年基準

１年基準とは、貸借対照表日の翌日から起算して１年以内に期限が到来するものを流動資産とし、期限が１年を超えて到来するものを固定資産とする基準をいう。

(2) 貨幣性・費用性分類

会計理論上は、資産と損益計算との関係に着目する、いわゆる資産評価に結びつく分類方法が重視される。

この方法によれば、資産は最終的には現金化される貨幣性資産（例えば預金・金銭債権等）と最終的に費用化される費用性資産（例えば棚卸資産・固定資産等）とに分類される。

3　資産の評価

(1) 貨幣性資産の評価

貨幣性資産とは、最終的に現金化される資産をいう。貨幣性資産は、将来的には現金で回収され、支払手段として利用されるものであることから、回収可能価額、すなわち、将来における収入予想額に基づいて評価される。

(2) 費用性資産の評価

費用性資産とは、最終的に費用化される資産をいう。費用の測定が支出額に基づいて行われることから、将来費用となる費用性資産についても支出額に基づく評価が求められるのである。

費用性資産は取得時において原価主義の原則によって評価される。ここに原価主義の原則とは、費用性資産を取得に要した支出額、すなわち取得原価に基づいて評価することを指示する資産の評価原則である。また、決算時においては、費用配分の原則により、その取得原価が当期の費用になる部分と資産として翌期に繰り越す部分とに配分される。すなわち、取得原価のうち当期の費用としての配分が行われた後の残余額をもって資産評価が行われるのである。ここに費用配分の原則とは、費用性資産の取得原価を各会計期間に費用として配分していくことを指示する原則である。

（MEMO）

第15問　資産会計総論②

重要度	A

下記の文章に基づいて、以下の各設問に答えなさい。

1　費用性資産は、取得時においてどのような原則に基づいて評価することが望ましいか、(1)その名称を答えなさい。(2)また、その原則の内容を説明しなさい。

2　上記１で答えた原則と収益の認識原則である実現主義の原則は、表裏一体の関係にあるといわれる。その理由を説明しなさい。

3　物価変動時における上記１の原則の問題点を３つ端的に示しなさい。

＜解答欄＞

1

(1)	
(2)	

2

3

解　答

1

(1)	原価主義の原則
(2)	原価主義の原則とは、費用性資産2をその取得に要した支出額、すなわち取得原価に基づいて評価すること2を指示する資産の評価原則2である。

2

原価主義の原則は、未実現利益である資産評価益の計上を許さない6ため、実現主義の原則と表裏一体の関係にある。

3

① 資産評価額が時価と乖離3する。

② 本来の営業活動に基づかない保有損益が利益計算の中に混入3する。

③ 物価変動を反映した資本の維持を図ることができない3。

【配　点】

1(1)　4点　(2)　6点　　2　6点　　3　各3点　　合計25点

解答への道

1　原価主義の原則の採用根拠

(1) 処分可能利益を算定するため

伝統的な企業会計における基本的な目的は、収益と費用の期間的な対応による収益力の算定と表示である。しかし、そこで算定される利益は、企業の目標達成度を示すものであるばかりでなく、株主の利益分配の源泉ともなるものである。したがって、利益を株主に分配（配当）しても元本である資本を損なわない意味において処分可能なものでなければならない。そこで、この処分可能な利益を算定するために、収益は収入額を基礎として計上し、費用は支出額を基礎として計上しなければならないのである。したがって、支出の後、費用計上されるまでの未解決の項目である費用性資産の評価においても、取得に要した支出額、すなわち取得原価を基礎とする必要があるのである。

(2) 確実性・客観性を満たすため

原価主義の原則によれば、取得に要した支出額により資産を評価することとなるため、取引事実に即した資産評価が行えることとなる。取引に際しては、契約書・領収書等の各種証拠が作成されるのが一般的であり、これにより、取引事実の検証が容易になり、支出額すなわち資産評価の確実性や客観性も確保される。

2　実現主義との関係

原価主義によれば、費用性資産の時価が取得後に上昇した場合であっても取得原価のまま据え置くことが要求されるため、時価と取得原価との間で評価益が生じたとしても、これを収益として認識しないこととなる。

このように、資産評価における原価主義と収益認識における実現主義は、未実現利益である資産評価益の計上を許さないという意味において一体のものとして機能しており、この点において実現主義と表裏一体の関係にあるといえる。

3　原価主義（取得原価主義）の問題点

原価主義が最も合理性をもつのは貨幣価値が安定的な状態にある場合であり、貨幣価値が著しく変動する状態にある場合には以下のような問題点が生じる。

①　資産評価額が時価と乖離する

②　本来の営業活動に基づかない保有損益が利益計算の中に混入する

③　物価変動を反映した資本の維持を図ることができない

第16問　棚卸資産

重要度　A

棚卸資産に関して以下の各問に答えなさい。

1　棚卸資産の取得原価の決定方法について、購入品の場合と生産品の場合とでそれぞれ説明しなさい。

2　棚卸資産の数量計算である継続記録法の説明として最も適切なものを２つ選び、記号で答えなさい。

ア　払出数量を記録しない方法であるため、在庫数量を常に把握しておくことはできない。

イ　払出数量を記録する方法であるため、払出の原因を明らかにすることができる。

ウ　実地棚卸を行わない方法であるため、実際の期末数量は明らかにすることができない。

エ　実地棚卸を行う方法であるため、実際の期末数量を明らかにすることができる。

オ　棚卸減耗が払出数量に混入することから売上原価を正確に算定できない。

3　棚卸資産の費用配分の方法として、理論的には、先入先出法と後入先出法がある。それぞれの長所及び短所について説明しなさい。

4　先入先出法と後入先出法に関する以下の記述のうち、適切なものを１つ選択し、その記号を答案用紙に記入しなさい。

ア　先入先出法及び後入先出法のうち、価格変動時に貸借対照表価額と決算時の時価とが近似するのは後入先出法である。なお、棚卸資産の在庫は常時存在するものとする。

イ　先入先出法及び後入先出法のうち、価格上昇時に多額の利益が計上されるのは先入先出法である。なお、棚卸資産の在庫は常時存在するものとする。

<解答欄>

1

購入品	
生産品	

2

3　先入先出法

長所	
短所	

後入先出法

長所	
短所	

4

解　答

1

購入品	購入棚卸資産については、購入代価[1]に副費（附随費用）の一部又は全部[1]を加算した額をもって取得原価とする。
生産品	生産品については、適正な原価計算[1]の手続により算定された正常実際製造原価[1]をもって取得原価とする。

2

イ、ウ

3　先入先出法

長所	物的な流れに即応した払出額計算[2]ができ、また、在庫の金額に直近の市場価格が反映される[2]ことになる。
短所	損益計算上古い原価が新しい収益に対応される[2]ため、費用収益の同一価格水準的対応が図られず[1]、価格変動時には保有損益が計上される[1]ことになる。

後入先出法

長所	損益計算上新しい原価が新しい収益に対応される[2]ため、費用収益の同一価格水準的対応が図られる[1]こととなり、価格変動時には保有損益の計上を抑制できる[1]ことになる。
短所	物的流れと逆の払出額計算[2]となり、また、在庫の金額は直近の市場価格から乖離する[2]ことになる。

4

イ

【配　点】

1　購入品　2点　生産品　2点　　2　2点（完答）　　3　先入先出法　各4点

後入先出法　各4点　　4　3点　　　合計25点

解答への道

1　棚卸資産の範囲

これまで、棚卸資産の範囲は、原則として、連続意見書第四に定める次の４項目のいずれかに該当する財貨又は用役であるとされていた。

(1)　通常の営業過程において販売するために保有する財貨又は用役
(2)　販売を目的として現に製造中の財貨又は用役
(3)　販売目的の財貨又は用役を生産するために短期間に消費されるべき財貨
(4)　販売活動及び一般管理活動において短期間に消費されるべき財貨

棚卸資産の評価方法、評価基準及び開示について棚卸資産の評価に関する会計基準では、棚卸資産の範囲に関しては、連続意見書第四の考え方及びこれまでの取扱いを踏襲し、企業がその営業目的を達成するために所有し、かつ、売却を予定する資産のほか、従来から棚卸資産に含められてきた販売活動及び一般管理活動において短期間に消費される事務用消耗品等も棚卸資産に含めている。

なお、売却には、通常の販売のほか、活発な市場が存在することを前提として、棚卸資産の保有者が単に時価の変動により利益を得ることを目的とするトレーディングを含む。

また、企業がその営業目的を達成するために所有し、かつ、売却を予定する資産であっても、金融基準に定める売買目的有価証券や、研究開発費基準に定める市場販売目的のソフトウェアのように、他の会計基準において取扱いが示されているものは、該当する他の会計基準の定めによることとなる。

2　棚卸資産の取得原価の決定

(1) 購入品の取得原価

①　取得原価の決定

棚卸資産を購入によって取得した場合の取得原価は、購入代価に副費（付随費用）を加算して決定される。その場合の購入代価は、送状価額から値引額、割戻額等を控除した金額である。

②　副費（付随費用）の範囲

副費には、引取運賃、購入手数料、関税等の外部副費と購入事務費、保管費その他の内部副費の二種類があるが、一般的には、個別的に確認が容易である外部副費のみが購入代価に加算される。ただし、どの範囲の副費を購入代価に加算するかを一律に定めることは困難であるため、各企業の実情に応じ、費用収益対応の原則、重要性の原則、継続性の原則等を考慮して、これを適正に決定することが必要であるとされている。

③　現金割引の取扱い

現金割引額（仕入割引）は、仕入値引と同じように送状価額から控除するという考え方もあるが、わが国では現金割引制度が広く行われていない関係もあり、現金割引額は送状価額から控除せずに掛代金の決済取引から生じる財務収益と考え、営業外収益項目とすることとしている。

(2) 生産品の取得原価

棚卸資産を製造によって取得した場合は、適正な原価計算基準に従って算定された正常な（金額や原因の異常なものを除いた）実際製造原価をもって取得原価とする。また、製造原価を算定する際には、実際原価によらず、予定価格又は標準原価を用い、これについて発生した原価差額が合理的に僅少な場合には、これらの原価に基づいて算定された価額によることもできることとされている。

3　継続記録法に関する正誤問題

ア　×

払出数量を記録する方法である。

イ　○

ウ　○

エ　×

実地棚卸はあくまでも継続記録法を補完するための手続きである。

オ　×

期末帳簿数量を把握することができる方法であるため、棚卸減耗が売上原価に混入することはない。

4　棚卸資産の費用配分

棚卸資産の費用配分は、数量計算と金額計算によって行われる。

数量計算とは、棚卸資産の費用配分額の算定にあたって払出数量を計算することであり、金額計算とは、棚卸資産の費用配分額の算定にあたって払出単価を計算することである。そして、数量計算により算定された払出数量に金額計算により算定された払出単価を乗じることによって費用配分額が算定されることになる。

(1) 先入先出法の特徴

先入先出法は、「最も古く取得されたものから順次払出しが行われ、期末棚卸資産は最も新しく取得されたものからなるものとみなして期末棚卸資産の価額を算定する方法」である。

仕入から販売に至るまでの棚卸資産の物的流れはおおむね先入先出的である。なぜなら、ほとんどの棚卸資産は時の経過とともに品質低下・陳腐化するため、特殊なケースは別として、経営者は、そのような性質をもつ棚卸資産を必要以上に長く保有することなく、最も古い在庫品から払出しを行うべく努力するからである。

したがって、先入先出法には、棚卸資産の物的流れに関する論理が底流しているのである。この先入先出法の特徴は、次の点にある。

① 「原価の流れの仮定」が「物の実際の流れ」にほぼ一致すること（長所）

② 感覚的に容認されやすいこと（長所）

③ 適用期間の長短とは無関係に配分の結果が同一であること（長所）

④ 保有損益が計上されること（短所）

このようにみてくると、先入先出法は、経営活動における取引の事実に即して、売上収益（結果）に対しては、その売上収益を得るために払い出された商品に対して実際に支出した仕入原価（原因）を対応させるべきであるという考え方に立脚した棚卸資産の費用配分方法であるといえる。

(2) 後入先出法の特徴

後入先出法は、「最も新しく取得されたものから払出しが行われ、期末棚卸資産は最も古く取得されたものからなるものとみなして期末棚卸資産の価額を算定する方法」である。

一般的には、棚卸資産は最も古く取得されたものから順次払出しが行われるのが自然であるが、後入先出法のもつ「原価の流れの仮定」は、物の自然な流れに反するような作為的な仮定である。これは、取得原価主義の枠内において、収益と費用の同一ないし同質価格水準的対応により保有損益の計上を抑制し、より実質的な利益を算定することを目的としたものである。

したがって、後入先出法のもつ「原価の流れの仮定」は、その仮定自体に意味があるのではなく、収益・費用の同一ないし同質価格水準的対応を達成するための単なる手段にすぎないと理解されることになる。

この後入先出法の特徴は、次の点にある。

① 「原価の流れの仮定」は虚構的であって「物の実際の流れ」に反すること（短所）

② 期末棚卸資産評価額は古い価額により評価されるため財政状態の表示という観点から好ましくないこと（短所）

③ 食込が発生した場合には、収益・費用の同一ないし同質価格水準的対応ができなくなること（短所）

④ 収益・費用の同一ないし同質価格水準的対応が達成され、より実質的な利益の算定が可能となること（長所）

⑤ 保有損益が自動的に抑制されること（長所）

　このようにみてくると、後入先出法の長所は保有損益が抑制される点にあるが、問題点としては、このような長所も食込が起きた場合にはその達成ができなくなるという点にある。なお、現行制度会計上、後入先出法の適用は認められていない。

＜参　考＞　食込による影響

　食込とは、期末（ないし払出し）時点において期末棚卸資産（ないし未払出棚卸資産）数量が期首棚卸資産数量より少ない状態をいう。別言すれば、当期仕入数量以上に払出しが行われることであり、払出しが期首棚卸資産からもなされることをいう。

　この場合、払出単価は当期以前の古い原価となり、後入先出法の目的である収益・費用の同一ないし同質価格水準的対応が達成できないことになるのである。

　したがって、後入先出法の目的を達成するためにも、食込が生じないように考慮しなければならない。つまり、後入先出法は、その都度法よりも期別法というように適用期間を考慮しなければならないのである。なぜなら、適用期間が長ければ長いほど、食込を解消させることができ、収益・費用の同一ないし同質価格水準的対応がより良く達成できるのである。

5　先入先出法及び後入先出法に関する正誤問題

ア　×

　先入先出法及び後入先出法のうち、価格変動時に貸借対照表価額と決算時の時価とが近似するのは先入先出法である。

イ　○

第17問　有形固定資産①

重要度	A

有形固定資産の取得原価の決定に関して、連続意見書に基づき以下の各問に答えなさい。

1　固定資産を購入した場合の取得原価の決定について、以下の空欄①及び②に適切な用語を記入しなさい。

> 固定資産を購入によって取得した場合には、［①］に買入手数料、運送費、荷役費、据付費、試運転費等の［②］を加えて取得原価とする。

2　固定資産を自家建設した場合の取得原価の決定に関して、下記の(1)から(3)に答えなさい。

(1) 取得原価がどのように決定されるか説明しなさい。

(2) 自家建設に係る借入資本の利子については、原則として取得原価に算入しないこととしているが、一定の条件のもと例外的に取得原価への算入を認めている。その条件について説明しなさい。

(3) 上記(2)のように、借入資本の利子を例外的に取得原価に算入することを認めている論拠を説明しなさい。

<解答欄>

1

①		②	

2

(1)	
(2)	
(3)	

解　答

1

①	購入代金	②	付随費用

2

(1)	固定資産を自家建設した場合には、適正な原価計算基準[2]に従って計算した製造原価[4]をもって取得原価とする。
(2)	固定資産の自家建設に要する借入資本の利子[3]で稼働前の期間に属するもの[3]は、これを取得原価に算入することができる。
(3)	借入資本利子の原価算入を認めるのは、費用・収益対応の見地[4]から借入資本利子を固定資産の取得原価に算入[1]し、その費用化を通じて将来の収益と対応させるため[2]である。

【配　点】

1　各３点　　**2**(1)　６点　(2)　６点　(3)　７点　　合計25点

解答への道

1　購　入

付随費用とは、有形固定資産を使用するまでに係る一切の費用をいう。この付随費用については、正当な理由がある場合には、その一部又は全部を取得原価に算入しないことができる。

また、購入に際して値引又は割戻を受けたときには、これを購入代金から控除する。

2　自家建設における借入資本の利子の扱い

(1) 連続意見書の取扱い

①　原　則

自家建設に係る借入資本の利子は、原則的には取得原価に算入せず、発生した期間の費用として取り扱う。

②　例　外

固定資産の自家建設に要する借入資本の利子で、稼働前の期間に属するものはこれを取得原価に算入することができる。

借入資本により自家建設を行う場合の借入資本の利子の取扱いについては、原則として、発生した期間の費用として処理し、取得原価には算入しない。

ただし、連続意見書によれば、建設に要する借入資本の利子で稼働前の期間に属するものは、例外的に利子を取得原価に算入することを認めている。

(2) 原価算入を容認する論拠

固定資産が事業の用に供される前は、それらの利用から生ずる収益は存在しないのであるから、費用のみを先に計上することは費用・収益対応の見地から好ましくないので、資産原価に含めて将来の収益との対応関係を図るためである。

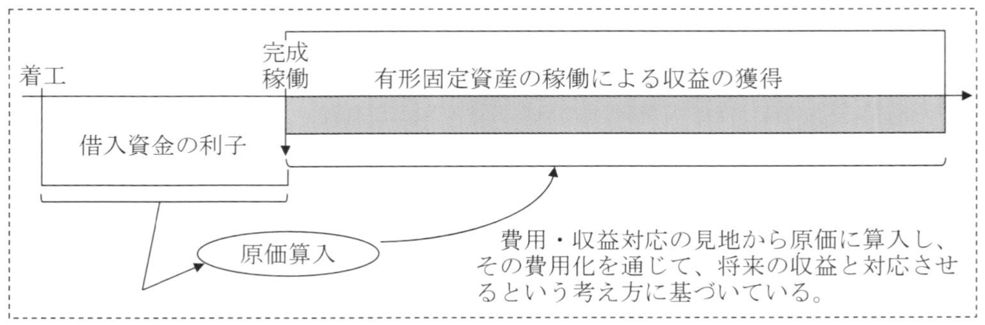

第18問　有形固定資産②

重要度	A

有形固定資産の取得原価の決定に関して、連続意見書に基づき以下の各問に答えなさい。

1　固定資産を交換により取得した場合の取得原価の決定に関して、下記の(1)及び(2)に答えなさい。

(1) 自己所有の固定資産と交換に固定資産を取得した場合の①取得原価の決定方法について説明するとともに、②取得原価の決定が①のように行われる論拠を述べなさい。

(2) 自己所有の有価証券と交換に固定資産を取得した場合の①取得原価の決定方法について説明するとともに、②取得原価の決定が①のように行われる論拠を述べなさい。なお、譲渡した有価証券の時価が不明な場合は考慮する必要はない。

2　固定資産を贈与により取得した場合の取得原価の決定に関して、下記の(1)から(3)に答えなさい。

(1) 連続意見書に基づいた場合、どのように取得原価が決定されるか説明しなさい。

(2) 取得原価をその資産の取得に要した支出額であると捉えた場合、どのように取得原価を決定すべきか、理由とともに説明しなさい。

(3) 上記２(2)で解答した方法で取得原価を決定した場合の問題点について、財政状態の適正開示の観点から説明しなさい。

＜解答欄＞

1

(1)	①	
	②	
(2)	①	
	②	

2

(1)	
(2)	
(3)	

解　答

1

(1)	①	自己所有の固定資産と交換に固定資産を取得した場合には、自己資産の適正な簿価[3]をもって取得原価とする。
	②	自己資産の適正な簿価をもって取得原価とするのは、同一種類かつ同一用途の資産を交換した場合には、譲渡資産と取得資産との間に投資の継続性が認められるため[3]である。
(2)	①	自己所有の有価証券と交換に固定資産を取得した場合には、有価証券の時価[3]をもって取得原価とする。
	②	有価証券の時価をもって取得原価とするのは、同一種類かつ同一用途以外の資産を交換した場合には、譲渡資産と取得資産との間に投資の継続性が認められないため[3]である。

2

(1)	固定資産を贈与された場合には、時価等[1]を基準として公正に評価した額[2]をもって取得原価とする。
(2)	取得原価をその資産の取得に要した支出額であると捉えた場合、取得のための対価が存在しない[2]ことから、取得原価はゼロ[2]とすべきである。
(3)	簿外資産が存在する[2]ことになり、貸借対照表上に計上されない[2]ため、利害関係者の判断を誤らせるおそれがある[2]。

【配　点】

1 (1)①　3点　②　3点　(2)①　3点　②　3点　　**2** (1)　3点　(2)　4点

(3)　6点　　合計25点

解答への道

1　交　換

連続意見書における交換とは、売手と買手の合意によってはじめて成立する経済上の行為であり、等価交換を前提としている。

(1) 自己所有の固定資産と交換に別の固定資産を取得した場合（同一種類かつ同一用途の交換の場合）

連続意見書の自己所有の固定資産と交換に別の固定資産を取得した場合とは、一般に同一用途かつ同一種類の固定資産同士の交換を意味すると解釈されている。

同一用途かつ同一種類の固定資産同士の交換の場合、取得した固定資産の取得原価を交換に供された自己資産の適正な簿価とするのは、譲渡資産と取得資産との間に投資の継続性が認められるためである。

(2) 自己所有の有価証券と交換に固定資産を取得した場合

連続意見書では、自己所有の有価証券と交換に固定資産を取得した場合とは、一般的に、種類の異なる資産ないし用途の異なる資産を交換した場合を指すと解釈されている。

自己所有の有価証券との交換のように、異種資産を交換した場合、取得した固定資産の取得原価を譲渡資産の時価とするのは、譲渡資産と取得資産との間には投資の継続性が認められないためである。

ただし、譲渡資産の時価が不明の場合には、その適正な簿価をもって決定すべきものとされる。

2　贈　与

固定資産を贈与により取得した場合の取得原価の決定に関しては、取得原価をその資産の取得に要した支出額と捉えた場合、取得のための対価が存在しないことから、取得原価はゼロとすべきであるとする考え方がある。しかし、取得原価をゼロとすると、以下のような問題点がある。

〔問題点〕

(1) 簿外資産が存在することになり、貸借対照表に計上されないため、利害関係者の判断を誤らせるおそれがある。

(2) 減価償却による費用化が行えないので、当該固定資産を使用して収益を獲得している場合には、これに対応した減価償却費が計上されず、適正な期間損益計算が行えないこととなる。

取得原価をゼロとした場合には上記のような問題点があるため、連続意見書においては贈与により取得した固定資産の公正な評価額をもって取得原価とするという見解を採用しているのである。

第19問　有形固定資産③

重要度	A

次に示す「企業会計原則・貸借対照表原則五」の規定に基づいて、以下の各問に答えなさい。

> 資産の取得原価は、資産の種類に応じた［①］によって、各事業年度に［②］しなければならない。有形固定資産は、当該資産の［③］にわたり、定額法、定率法等の一定の［④］の方法によって、その取得原価を各事業年度に［②］…（中略）…しなければならない。

1　上記規定中の空欄に該当する用語を答えなさい。

2　空欄④について、その定義、目的及び効果について説明しなさい。

3　上記規定中に示されている定額法の短所について説明しなさい。

4　上記規定中に示されている定率法の長所について説明しなさい。

＜解答欄＞

1

①		②	
③		④	

2

定義	
目的	
効果	

3

4

テーマ4 資産会計

解答

1

①	費用配分の原則	②	配分
③	耐用期間	④	減価償却

2

定義	減価償却とは、費用配分の原則1に基づいて、有形固定資産の取得原価1をその耐用期間における各事業年度1に費用として配分すること1である。
目的	減価償却の最も重要な目的は、適正な費用配分を行うこと1によって、毎期の損益計算を正確ならしめること2である。
効果	減価償却の効果としては、固定資産の流動化1と自己金融1の2つがある。 固定資産の流動化とは、固定資産取得のために投下され固定化されていた資金1が、減価償却の手続により再び貨幣性資産として回収され流動化される2効果をいう。 また、自己金融とは、減価償却費は支出を伴わない費用1であるので、資金的には当該金額だけ企業内に留保され、取替資金の蓄積が行われる2効果をいう。

3

定額法は、毎期均等額の減価償却費を計上する方法1であることから、使用経過につれて維持修繕費が逓増する場合には、耐用年数の後半になって、費用負担が増大する2こととなる。

4

定率法は耐用年数の初期に多額の減価償却費を計上する1ことになるので、投下資本を早期に回収することができ1、また、維持修繕費が逓増する耐用年数の後半には減価償却費が減少し、毎期の費用負担を平準化する1ことができる。

【配　点】

1　各1点　　2　定義　4点　目的　3点　効果　8点　　3　3点

4　3点　　合計25点

解答への道

1　減価償却の定義・本質

有形固定資産は、企業経営活動の手段として、一定の耐用期間にわたり一体となって製造・販売に貢献しつつその価値が減少し、有効寿命の到来とともに廃棄される。したがって、製造・販売への貢献度に応じてその価値が減少するものとみて、それに応じて固定資産の取得原価を各会計期間に配分することにより、正しい期間損益計算が可能となるのである。

このように、固定資産の取得原価をその耐用期間にわたって配分する手続を費用配分（原価配分）といい、固定資産の費用配分手続を減価償却というのである。

企業会計原則・貸借対照表原則五において、減価償却の本質を次のように規定している。「資産の取得原価は、資産の種類に応じた費用配分の原則によって、各事業年度に配分しなければならない。有形固定資産は、当該資産の耐用期間にわたり、定額法、定率法等の一定の減価償却の方法によって、その取得原価を各事業年度に配分……しなければならない。」

また、連続意見書第三・第一・一においては、「減価償却は、費用配分の原則に基づいて有形固定資産の取得原価をその耐用期間における各事業年度に配分することである。」と述べられており、さらに同第三・第一・二においては、「減価償却の最も重要な目的は、適正な費用配分を行なうことによって、毎期の損益計算を正確ならしめることである。このためには、減価償却は所定の減価償却方法に従い、計画的、規則的に実施されねばならない。利益におよぼす影響を顧慮して減価償却費を任意に増減することは、……正規の減価償却に反するとともに、損益計算をゆがめるものであり、是認し得ないところである。」と述べられている。

2　減価償却の効果

適正な期間損益計算を行うことを目的とする今日の企業会計において、減価償却はその目的達成のための手段である。その減価償却を行うことによってもたらされる財務的な効果についてみてみる。

(1)　固定資産の流動化

棚卸資産（商品）に投下された資本（資金）は、通常の場合、販売されることによって貨幣性資産の裏付けのある売上収益（実現収益）から回収されることになる。これは、固定資産についても同じことがいえる。つまり、固定資産に投下された資本（取得原価）のうち一部が減価償却の手続により費用化され、その費用化された減価償却費が貨幣性資産の裏付けのある収益と対応させられることになり、その収益から回収されることとなる。このような現象を減価償却による固定資産の流動化という。

(2) 自己金融

減価償却費は、給料などとは異なりその計上に際して支出を伴わない費用なので、通常の場合、減価償却費計上額だけ貨幣性資産の裏付けのある収益から回収されたうえで企業内部に留保されることとなる。このような現象を減価償却による自己金融という。

なお、これらの関係を示したのが、次の図である。

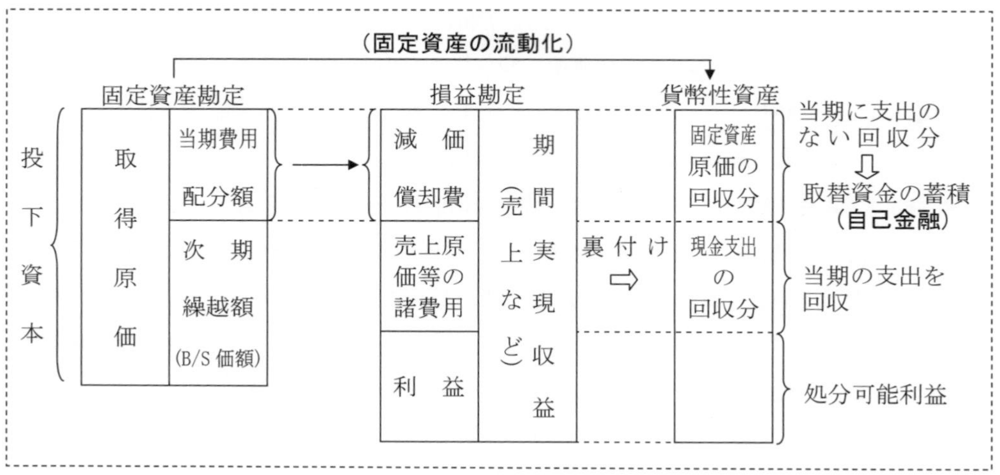

3　減価償却の方法

期間を配分基準とする定額法、定率法の特徴をまとめると次のようになる。

(1) 定額法

① 長　所

(イ) 計算が簡便

(ロ) 毎期同額の減価償却費 → 安定した取得原価の期間配分が可能

② 短　所

維持修繕費の逓増 → 耐用年数の後半に費用負担が増大

(2) 定率法

① 長　所

耐用年数の初期に多額の減価償却費を計上

→ 投下資本の早期回収が可能

→ 維持修繕費の逓増による毎期の費用負担の平準化が可能

② 短　所

償却費が急激に減少 → 取得原価の期間配分という点で問題

第20問　無形固定資産

重要度	B

1　のれんとはどのようなものか説明しなさい。

2　財務会計においては、自己創設のれんの貸借対照表への計上が認められていない。その理由を資産評価の観点から説明しなさい。

3　上記２とは異なり、有償取得のれんについては、貸借対照表への計上が認められている。その理由を説明しなさい。

＜解答欄＞

1

2

3

解　答

1

のれんとは、人や組織などに関する優位性[3]を源泉として、当該企業の平均的収益力が同種の他の企業のそれより大きい場合におけるその超過収益力[6]である。

2

自己創設のれんは、恣意性の介入により資産として客観的な評価ができないため[8]、貸借対照表への計上が認められないのである。

3

有償取得のれんは、その取得の際に対価を支払うこと[4]から恣意性を排除し客観的な評価ができるため[4]、貸借対照表への計上が認められるのである。

【配　点】

1　9点　**2**　8点　**3**　8点　合計25点

解答への道

1　のれんとは

のれんとは、人や組織などに関する優位性を源泉として、当該企業の平均的収益力が同種の他の企業のそれより大きい場合におけるその超過収益力であり、制度会計上は、営業譲受け、企業買収や合併などのように、対価を支払って取得した場合の有償取得のれんに限り資産計上が認められる。

2　自己創設のれんの資産計上と評価

現行制度上、企業が外部の第三者に対価を支払うことなく自ら創設したのれん（自己創設のれん）は、貸借対照表に資産として計上することができない。なぜなら、自己創設のれんの評価にあたっては恣意性が介入してしまい、その金額の決定を客観的に行うことは困難であるからである。それゆえ、自己創設のれんの資産計上は認められないこととなる。

第21問　繰延資産①

重要度	A

次の文章は、「企業会計原則」貸借対照表原則一Dから抜粋したものである。これに関連して、以下の各問に答えなさい。

> 将来の期間に影響する特定の費用は、次期以後の期間に配分して処理するため、［　①　］に貸借対照表の［　②　］に記載することができる。

1　上記空欄①及び②に適切な用語を記入しなさい。

2　将来の期間に影響する特定の費用について説明しなさい。

3　将来の期間に影響する特定の費用を繰延経理する根拠について説明しなさい。

4　繰延資産と長期前払費用の相違点について説明しなさい。

＜解答欄＞

1

①		②	

2

3

4

解　答

1

①	経過的	②	資産の部

2

将来の期間に影響する特定の費用とは、すでに代価の支払いが完了し又は支払義務が確定[3]し、これに対応する役務の提供を受けた[3]にもかかわらず、その効果が将来にわたって発現するものと期待される費用[3]をいう。

3

将来の期間に影響する特定の費用は、適正な期間損益計算の見地[2]から、効果の発現[2]及び収益との対応関係[2]を重視して、繰延経理される。

4

繰延資産はすでに役務の提供を受けている[1]ため、財産性を有しない[1]が、長期前払費用は未だ役務の提供を受けていない[1]ため、財産性を有する[1]。

【配　点】

1　各３点　　2　９点　　3　６点　　4　４点　　合計25点

解答への道

1　繰延資産の本質

当期に発生した費用については、通常、当期の損益計算書に記載されることとなるが、「将来の期間に影響する特定の費用」については、貸借対照表の資産の部に記載することができる。

この規定における「将来の期間に影響する特定の費用」とは、(1)すでに代価の支払が完了し又は支払義務が確定し、(2)これに対応する役務の提供を受けており、(3)その効果が将来にわたって発現すると期待される、という３つの要件をすべて満たす費用をいうが、このような費用に限って、当期の損益計算書には記載されず、次期以降の費用とするため、経過的に貸借対照表上の資産とされるのである。なお、この貸借対照表上に計上された資産が繰延資産である。

2　繰延経理の根拠

「将来の期間に影響する特定の費用」については、前述のような根拠があれば、支出額の全部を、その支出の行われた期間の費用として取り扱うのは適当ではない。すなわち、支出額を繰延経理の対象とし、決算日において、当該事象の性格に従ってその全額を貸借対照表の資産の部に掲記して将来の期間の損益計算にかかわらせるか、もしくは、一部を償却してその期間の損益計算の費用として計上するとともに、未償却残高を貸借対照表に掲記する必要がある。換言すれば、繰延資産が貸借対照表における資産の部に掲げられるのは、それが換金能力という観点から考えられる財産性を有するからではなく、まさに、費用収益の対応による適正な期間損益計算の観点から、費用配分の原則の適用によるものであるといえる。

繰延資産については、費用配分の原則に従って、その支出額を適正な償却期間、すなわち、その支出又は役務の効果の及ぶべき期間、もしくは、支出によって影響される収益の計上されるべき期間にわたって正しく償却を行うことが必要となる。

なお、連続意見書第五では、繰延経理の根拠について以下のように述べている。

ある支出額が繰延経理される根拠は、おおむね、次の二つに分類することができる。

(1) ある支出が行われ、また、それによって役務の提供を受けたにもかかわらず支出もしくは役務の有する効果が、当期のみならず、次期以降にわたるものと予想される場合、効果の発現という事実を重視して、効果の及ぶ期間にわたる費用として、これを配分する。

(2) ある支出が行われ、また、それによって役務の提供を受けたにもかかわらずその金額が当期の収益に全く貢献せず、むしろ、次期以降の損益に関係するものと予想される場合、収益との対応関係を重視して、数期間の費用として、これを配分する。

第22問　繰延資産②

重要度　B

次の文章は、「繰延資産の会計処理に関する当面の取扱い」（以下、「当面の取扱い」という。）から抜粋したものである。

> 株式交付費（新株の発行又は自己株式の処分に係る費用）は、原則として、［①］に費用（［②］）として処理する。

1　上記空欄①及び②に適切な用語を記入しなさい。

2　国際的な会計基準では、株式交付費は資本から直接控除することとされているが、「当面の取扱い」ではそのような取扱いを認めていない。その理由を３つ指摘しなさい。

3　上記下線部に関して、「当面の取扱い」では、新株の発行に係る費用と自己株式の処分に係る費用を整合的に取り扱うこととしている。その理由を説明しなさい。

4　「当面の取扱い」に関する以下の記述のうち、適切なものを１つ選択し、その記号を答案用紙に記入しなさい。

ア　株式交付費、社債発行費等、創立費、開業費及び開発費は、原則として、繰延資産として計上しなければならない。

イ　株式交付費を繰延資産に計上する場合には、株式交付のときから３年以内のその効果の及ぶ期間にわたって、定額法により償却しなければならない。

ウ　株式交付費を繰延資産に計上する場合には、株式交付のときから５年以内のその効果の及ぶ期間にわたって、定額法により償却しなければならない。

解答への道

1　各繰延資産の取扱い

会社計算規則では、繰延資産として計上することが適当であると認められるものが繰延資産に属すると規定されているだけであり、具体的な取扱いが示されていない。この点について、会社計算規則では、その用語の解釈及び規定の適用に関しては、一般に公正妥当と認められる企業会計の基準、その他の企業会計の慣行をしん酌しなければならないとされている。企業会計基準委員会では、会社計算規則におけるこれらの規定への対応として、実務対応報告第19号「繰延資産の会計処理に関する当面の取扱い」（以下、「当面の取扱い」という。）を公表した。「当面の取扱い」に基づく繰延資産の具体的な取扱いは次のようになる。

(1) 処理方法

①　原則　⇨　支出時に費用として処理する。
②　例外　⇨　繰延資産に計上することができる。

(2) 各種繰延資産の償却方法

各繰延資産	償却開始時期	償却期間	償却方法	損益計算書計上区分
株式交付費	株式交付のときから	３年以内	定額法	営業外費用
社債発行費	社債の発行のときから	社債の償還までの期間	利息法（原則） 定額法（例外）	営業外費用
新株予約権発行費	新株予約権の発行のときから	３年以内	定額法	営業外費用
創　立　費	会社の成立のときから	５年以内	定額法	営業外費用
開　業　費	開業のときから	５年以内	定額法	営業外費用
開　発　費	支出のときから	５年以内	定額法	売上原価又は販売費及び一般管理費

2　株式交付費を資本から控除しない理由

株式交付費の会計処理としては、主に以下の２つの方法が考えられる。

会計処理方法	取引の捉え方	備　　考
資本から直接控除	資本取引に付随する取引	現行の国際的な会計基準で採用されている。
費用又は繰延資産として処理	損益取引	わが国においては、従来から採用されている。

わが国においても、国際的な会計基準との整合性の観点から取扱いの検討が行われたが、解答に示した理由により、株式交付費については費用又は繰延資産として処理されることとなった。

3　自己株式の処分の取扱い

「当面の取扱い」では、新株の発行と自己株式の処分に係る費用を合わせて株式交付費とし、自己株式の処分に係る費用についても繰延資産に計上できることとした。自己株式の処分に係る費用は、旧商法施行規則において限定列挙されていた新株発行費には該当しないため、これまで繰延資産として会計処理することはできないと解されてきた。しかしながら、会社法においては、新株の発行と自己株式の処分の募集手続は募集株式の発行等として同一の手続によることとされ、また、株式の交付を伴う資金調達などの財務活動に要する費用としての性格は同じであることから、新株の発行に係る費用の会計処理と整合的に取り扱うことが適当と考えられる。

4　正誤問題

ア　×

株式交付費、社債発行費等、創立費、開業費及び開発費は、原則として、支出時に費用として処理しなければならない。

イ　○

ウ　×

株式交付費を繰延資産に計上する場合には、株式交付のときから３年以内のその効果の及ぶ期間にわたって、定額法により償却しなければならない。

（MEMO）

テーマ5　負債会計

第23問　引当金

重要度　A

次の文章は、「企業会計原則注解」【注18】からの抜粋である。これに関連して以下の各問に答えなさい。

> ［　①　］であって、その［　②　］し、［　③　］、かつ、その［　④　］場合には、当期の負担に属する金額を当期の費用又は損失として引当金に繰入れ、当該引当金の残高を貸借対照表の負債の部（A）又は資産の部（B）に記載するものとする。（以下省略）

1　空欄［　①　］から［　④　］にあてはまる適切な語句を答えなさい。

2　引当金を計上する根拠として発生主義の原則があるが、当該原則における発生の意味を説明しなさい。

3　引当金を計上する目的を簡潔に説明しなさい。

4　下線部Aに記載される引当金（負債性引当金）と未払費用の共通点及び相違点を答えなさい。なお、解答にあたっては、費用認識の相違点について触れる必要はない。

5　下線部Bに記載される引当金（貸倒引当金）と減価償却累計額の共通点及び相違点を答えなさい。なお、解答にあたっては、費用認識の相違点について触れる必要はない。

<＜解答欄＞

1

①		②	
③		④	

2

3

4

共通点

相違点

5

共通点

相違点

解　答

1

①	将来の特定の費用又は損失	②	発生が当期以前の事象に起因
③	発生の可能性が高く	④	金額を合理的に見積ることができる

2

発生主義の原則における発生とは、財貨又は用役の価値費消事実の発生[1]と財貨又は用役の価値費消原因事実の発生[1]を意味する。

3

引当金を計上する目的は、費用と収益の適正な対応[1]を可能にし、期間損益計算の適正化を図ること[2]である。

4

共通点

負債性引当金と未払費用は、費用を計上したときの貸方項目[2]であり、支出が次期以降[1]であるという点で共通している。

相違点

負債性引当金は合理的見積額を基礎に測定[2]されるのに対し、未払費用は契約額を基礎に測定[1]される。

5

共通点

貸倒引当金と減価償却累計額は資産から控除する評価性控除項目[3]である点で共通している。

相違点

貸倒引当金は将来の収入減少額を基礎に測定[2]されるのに対し、減価償却累計額は過去の支出額を基礎に測定[1]される。

【配　点】

1　各２点　　２　２点　　３　３点　　４　共通点　３点　相違点　３点

５　共通点　３点　相違点　３点　　合計25点

解答への道

1について

「企業会計原則注解」【注18】の空欄補充問題である。

> **将来の特定の費用又は損失**①であって、その**発生が当期以前の事象に起因**②し、**発生の可能性が高く**③、かつ、その**金額を合理的に見積ることができる**④場合には、当期の負担に属する金額を当期の費用又は損失として引当金に繰入れ、当該引当金の残高を貸借対照表の負債の部又は資産の部に記載するものとする。（以下省略）

2について

発生主義の原則における「発生」については、狭義説と広義説の２つの解釈があり、発生主義の原則をすべての費用に関する包括的な認識原則と位置づける場合には、広義に解することになり、一方、発生主義の原則を狭義に捉えた場合には、原因事実の発生に基づく費用認識は、発生主義の原則ではなく、費用収益対応の原則によるものと解される。

(1)　狭義説

発生主義の原則における発生とは、財貨又は用役の価値費消事実の発生を意味する。

(2)　広義説

発生主義の原則における発生とは、財貨又は用役の価値費消事実の発生と財貨又は用役の価値費消原因事実の発生を意味する。

本問では、「引当金を計上する根拠として発生主義の原則がある」とされていることから、発生主義の原則をすべての費用に関する包括的な認識原則と位置づけていることがわかる。そのため、本問の解答にあたっては、広義説に基づいて解答することが必要となる。

3について

引当金が計上されるのは、適正な期間損益計算を行うためである。すなわち、引当金の計上は、当期の収益に対応されるべき将来の財貨又は用役の価値費消事実を当期の費用として見越計上することによって費用と収益の適正な対応を可能にし、ひいては期間損益計算の適正化を図っているのである。

4について

負債性引当金と未払費用の共通点及び相違点は、以下の通りである。

(1) 負債性引当金と未払費用の共通点

負債性引当金と未払費用は、費用を計上したときの貸方項目であり、支出が次期以降であるという点で共通している。

(2) 負債性引当金と未払費用の相違点

負債性引当金は、財貨又は用役の価値費消原因事実の発生に基づいて計上される項目であり、未払費用は、財貨又は用役の価値費消事実の発生に基づいて計上される項目である。また、負債性引当金は合理的見積額を基礎に測定されるのに対し、未払費用は契約額を基礎に測定される。

本問では、「費用認識の相違点について触れる必要はない。」とされているため、相違点の解答にあたっては、貸方項目（負債項目）の測定の相違点を解答することとなる。

5について

貸倒引当金と減価償却累計額の共通点及び相違点は、以下の通りである。

(1) 貸倒引当金と減価償却累計額の共通点

貸倒引当金と減価償却累計額は資産から控除する評価性控除項目である点で共通している。

(2) 貸倒引当金と減価償却累計額の相違点

貸倒引当金は、財貨又は用役の価値費消原因事実の発生に基づいて計上される項目であり、減価償却累計額は、財貨又は用役の価値費消事実の発生に基づいて計上される項目である。また、貸倒引当金は将来の収入減少額を基礎に測定されるのに対し、減価償却累計額は過去の支出額を基礎に測定される。

本問では、「費用認識の相違点について触れる必要はない。」とされているため、相違点の解答にあたっては、貸方項目の測定の相違点を解答することとなる。

（MEMO）

テーマ6　財務諸表

第24問　損益計算書

重要度　B

1　次に示す企業会計原則・損益計算書原則一Bに基づいて以下の各問に答えなさい。

> 費用及び収益は、［①］によって記載することを原則とし、費用の項目と収益の項目とを直接に［②］することによってその全部又は一部を損益計算書から［③］してはならない。

(1) 上記規定中の空欄にあてはまる語句を答えなさい。

(2) 損益計算書原則一Bが上記のような内容を要請している理由を説明しなさい。

2　次に示す企業会計原則・損益計算書原則一Cに基づいて以下の各問に答えなさい。

> 費用及び収益は、その［①］に従って明瞭に分類し、各収益項目とそれに関連する費用項目とを損益計算書に［②］しなければならない。

(1) 上記規定中の空欄にあてはまる語句を答えなさい。

(2) 下記に示すものについて、空欄②がどのような関係に基づいて行われているか説明しなさい。

①　売上高と売上原価

②　売上高と販売費及び一般管理費

③　営業外収益と営業外費用

＜解答欄＞

1

(1)	①		②		③	
(2)						

2

(1)	①		②	
(2)	①			
	②			
	③			

テーマ6 財務諸表

解　答

1

(1)	①	総額	②	相殺	③	除去
(2)	利益の源泉となった取引の量的規模を明瞭に表示[1]することにより、企業の経営活動の状況を明らかにするため[2]である。					

2

(1)	①	発生源泉	②	対応表示
(2)	①	売上高と売上原価については、その収益と費用とが商品又は製品を媒介[1]とする直接的な対応関係に基づく対応表示[3]が行われている。		
	②	売上高と販売費及び一般管理費については、その収益と費用とが会計期間を唯一の媒介[1]とする間接的な対応関係に基づく対応表示[3]が行われている。		
	③	営業外収益と営業外費用については、実質的な対応関係は無く[1]、取引の同質性に着目して対応表示[3]が行われている。		

【配　点】

1 (1)　各2点　(2)　3点　　**2** (1)　各2点　(2)①　4点　②　4点　③　4点

合計25点

解答への道

1　総額主義の原則

(1) 規定内容

企業会計原則・損益計算書原則一Bにおいて、「費用及び収益は、総額によって記載することを原則とし、費用の項目と収益の項目とを直接に相殺することによってその全部又は一部を損益計算書から除去してはならない。」と規定し、例えば、売上高と売上原価とを直接相殺して、売上総利益のみを表示するとか、受取利息と支払利息を直接相殺して差額のみを表示することを禁止している。

(2) 採用理由

利益の源泉である取引の量的規模を明瞭に表示することにより、経営活動の状況を明らかにするのが目的である。特定の費用項目と収益項目とが直接相殺されても、最終的な利益額には影響はないが、損益計算書は単純に当期純利益を報告することだけを目的とするものではなく、経営成績の明瞭表示を基本課題としているわけであるから、企業の収益性を判断するための有効な資料が明瞭に表示されるような方法で、損益計算書は作成されなければならない。そのための具体的手段の1つが、取引の量的規模の明瞭表示を要求する総額主義の原則である。

(3) 具体例

①　売上高と売上原価とを直接相殺して売上総利益のみを表示する。

これは、取引活動の量的規模など経営活動の状況を表示していないので、その企業の収益性の判断に必要な資料（例えば、売上高利益率、棚卸資産回転率等）を提供しえない。したがって、総額表示が要請されるのである。

②　受取利息と支払利息とを相殺して純額を受取利息又は支払利息として表示する。

これは、金融経済的な活動状況を表示していないので、その企業の資金繰りの状況を提供しえない。したがって、総額表示が要請されるのである。

(4) 総額主義によらないもの

総額主義によらないものとしては、売上高・仕入高及び為替差損益などがある。

①　売上高・仕入高

売上高・仕入高については、総売上高・総仕入高から値引・割戻・戻りを控除した純売上高・純仕入高による表示が行われる。

これは、総額表示の強制は、企業にとっては営業上の機密を露呈するという意味で好ましくなく、また、値引と割戻の区別、割戻と販売奨励費の区別が必ずしも明確に行えない場合がある等の実務界からの要請によるものである。

②　為替差損益

為替差益、為替差損については、両者を相殺していずれか一方で表示することとしている。為替差益・為替差損というのは、為替相場の変動という１つの要因により生ずるものであるため、純額で表示することで、その企業が為替相場の変動をどれくらい受けているのかを知ることができるからである。

2　費用収益対応表示の原則

(1) 規定内容

企業会計原則・損益計算書原則一Ｃにおいて、「費用及び収益は、その発生源泉に従って明瞭に分類し、各収益項目とそれに関連する費用項目とを損益計算書に対応表示しなければならない。」と規定し、企業の経営成績の明瞭表示に有効な収益項目と費用項目の損益計算書における対応表示ないし対置表示を要求しているのである。

(2) 具体的内容

費用収益対応表示には、実質的対応関係、つまり因果関係に基づくものと、取引の同質性に基づくものとがある。

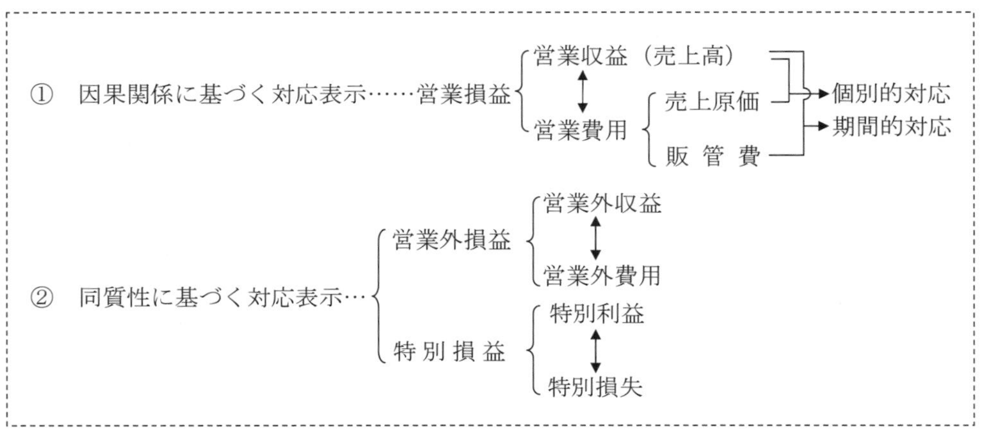

（MEMO）

第25問　貸借対照表

重要度	B

問1　次に示す企業会計原則・貸借対照表原則一の規定に基づいて、以下の各問に答えなさい。

> 貸借対照表は、企業の財政状態を明らかにするため、貸借対照表日におけるすべての資産、負債及び資本を記載し、株主、債権者その他の利害関係者にこれを正しく表示するものでなければならない。

1　貸借対照表原則一は、一般に何とよばれている原則か答えなさい。

2　上記規定中の「財政状態」について、その内容を説明しなさい。

3　上記1で答えた原則のもと、簿外資産・負債が認められるか否か説明しなさい。

問2　次の文章は、企業会計原則における動的貸借対照表が有する機能に関して述べた文章である。文章中の空欄にあてはまる語句を答えなさい。

> 動的貸借対照表が有する機能には期間損益計算の［①］機能と［②］表示機能がある。
>
> 期間損益計算の［①］機能
>
> 動的貸借対照表は、［③］と［④］との期間的なズレから生じる［⑤］を収める場所であり、連続する期間損益計算を［①］する機能を果たしている。
>
> ［②］表示機能
>
> 動的貸借対照表は、企業資本の［⑥］とそれら資本の［⑦］とを対照表示したものである。したがって、それは、一定時点における企業の［②］を表示する機能を果たしている。

＜解答欄＞

問１

1	
2	
3	

問２

①		②	
③		④	
⑤		⑥	
⑦			

解　答

問１

1	貸借対照表完全性の原則（貸借対照表網羅性の原則）
2	財政状態とは、企業が経営活動を行うために利用される資本の調達源泉と運用形態の釣り合いの状態[6]をいう。
3	貸借対照表完全性の原則のもと、本来、簿外資産・負債は認められない[3]。 しかし、利害関係者の判断を誤らせない限り[2]において、重要性の原則の適用により簡便な処理をした結果生じた簿外資産・負債[2]は、正規の簿記の原則に従った適正な会計処理として認められる[3]。

問２

①	連結	②	財政状態
③	収支計算	④	損益計算
⑤	未解決項目（未解消項目）	⑥	運用形態
⑦	調達源泉		

※　③と④、⑥と⑦は順不同

【配　点】
問１　１　２点　　２　６点　　３　10点　　問２　各１点　　　合計25点

解答への道

1　貸借対照表の本質

貸借対照表は、株主・債権者・その他の利害関係者に企業の財政状態を明らかにするために、決算日において企業に属しているすべての資産・負債及び純資産を集めた一覧表である。

伝統的な企業会計においては、期間損益計算が基本的課題とされており、この点から貸借対照表の主たる目的も、企業の収益獲得活動を静止的に描写することに置かれている。つまり、損益計算書が一定期間における収益獲得活動の動きを表示するのに対して、貸借対照表は、一定時点の財政状態を表示しているのである。

ここにいう財政状態とは、企業活動を行うために利用される資本（資金）の調達源泉とその運用形態との釣り合いの関係をいう。

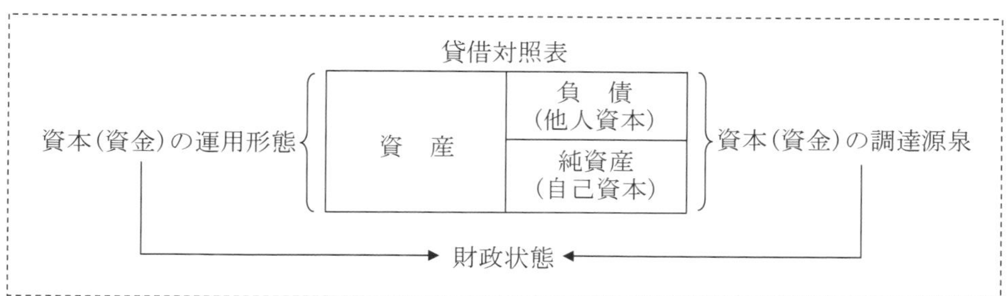

2　貸借対照表完全性の原則

企業会計原則は、貸借対照表日における資産、負債及び純資産が正規の簿記の原則に従って処理され、すべて漏れなく貸借対照表に計上されなければならないことを要求している。これが、いわゆる貸借対照表完全性の原則又は貸借対照表網羅性の原則といわれるものである。

企業会計原則によると、本来は、期間損益計算の過程における未解決項目を完全に収容することが貸借対照表完全性の原則にかなうものであるといえる。しかし、企業会計原則では、「正規の簿記の原則に従って処理された場合に生じた簿外資産及び簿外負債は、貸借対照表の記載外におくことができる。」として、重要性の原則の適用から生ずる簿外資産・簿外負債は貸借対照表完全性の原則の例外として認めているのである。

3　動的貸借対照表の機能

伝統的な企業会計においては、投資者保護のために、期間的な収益から費用を差し引くことで利益を計算するという損益法を採用している。この損益計算の原型は収支計算であるが、現行の会計においては、収益と収入、費用と支出の計上時期に時間的なズレが生じる場合がある。この損益計算と収支計算の期間的ズレから生じる項目を未解決項目といい、未解決項目には、収益・未収入項目、収入・未収益項目、支出・未費用項目、費用・未支出項目などがある。

例えば、当期において100万円を支払って商品を購入し、それを当期に販売したとすれば、当期に支出が生じ、当期に売上原価という費用が生じることとなり、支出と費用の計上時期は一致して解消していく。しかし、その商品を翌期に販売したとすれば、当期に支出が生じ、翌期に売上原価という費用が生じることになる。当期においては、費用に結びつく支出はあったものの費用とはなっていないことから、その支出は未解決項目（支出・未費用項目）として貸借対照表に収容されるのである。この関係を示したのが、次の図である。

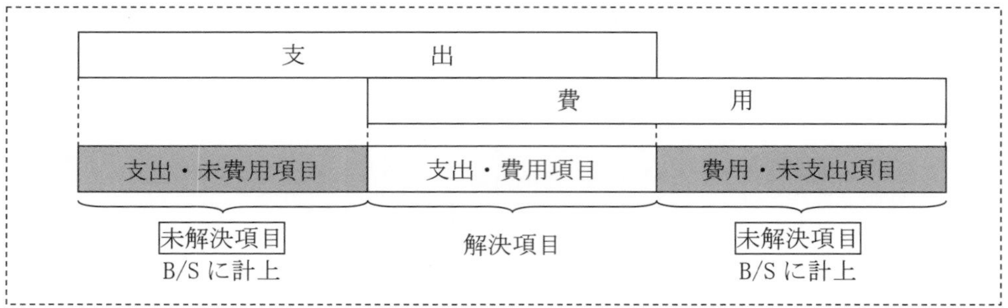

このような関係は、支出と費用の関係だけではなく、収入と収益の関係にもみることができる。例えば、売掛金については、当期に商品を販売したにもかかわらず、その代金としての現金収入がないものであるから、それは未解決項目（収益・未収入項目）として貸借対照表に収容されることとなる。この関係を示したのが次の図である。

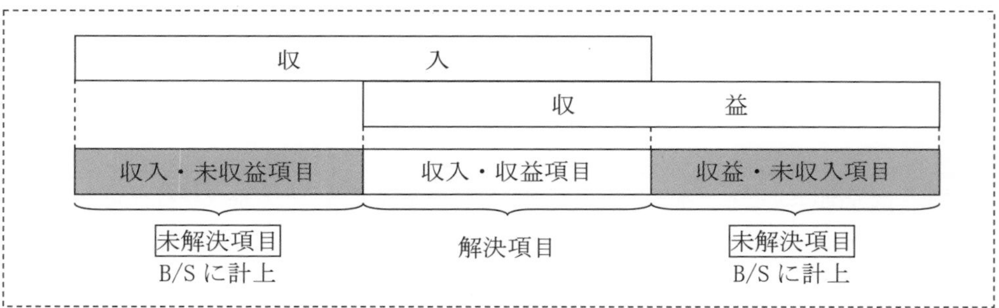

さらに、損益には関係しない収入・支出がある。例えば貸付金であるが、これは支出・未収入項目として貸借対照表に収容されることになる。この関係を示したのが次の図である。

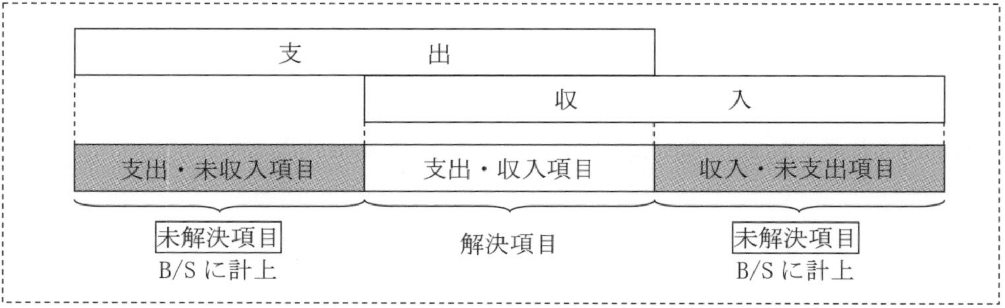

これらの未解決項目を収容するのが動的貸借対照表であり、それを図に表したものが下記の図である。

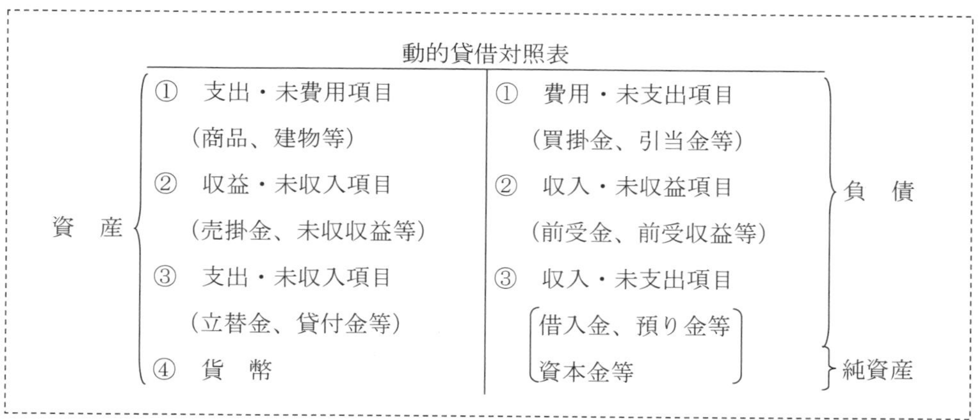

動的貸借対照表
資　産
① 支出・未費用項目
（商品、建物等）
② 収益・未収入項目
（売掛金、未収収益等）
③ 支出・未収入項目
（立替金、貸付金等）
④ 貨　幣
① 費用・未支出項目
（買掛金、引当金等）
② 収入・未収益項目
（前受金、前受収益等）
③ 収入・未支出項目
借入金、預り金等
資本金等
負　債
純資産

このように、動的貸借対照表は、収支計算と損益計算の期間的なズレから生じた未解決項目を次期の期間損益計算へ繰り越すための手段、すなわち期間損益計算の連結機能を果たすのである。

テーマ7　財務諸表論の全体構造Ⅱ

第26問　収益費用アプローチ・資産負債アプローチ

重要度	B

近年における会計思考は、従来の収益・費用を重視する会計思考（収益費用アプローチ）から、資産・負債を重視する会計思考（資産負債アプローチ）に移行してきているといわれている。

これに関して以下の各問に答えなさい。

1　収益費用アプローチ及び資産負債アプローチにおける①計算の重点、②期間利益の算定方法を説明しなさい。

2　資産負債アプローチに関する、次の(1)～(5)の各設問に答えなさい。

(1) 資産負債アプローチにおいては資産をどのようなものと捉えているか説明しなさい。

(2) 資産負債アプローチにおいては負債をどのようなものと捉えているか説明しなさい。

(3) 資産負債アプローチにおいては、資産・負債をどのような考え方に基づいて評価することが望ましいと考えられるか。その考え方の名称及び内容を説明しなさい。

(4) 上記(3)の評価方法が望ましいとされる理由を説明しなさい。

(5) 上記(3)で答えた方法を現実の制度会計に導入するには、問題点があるといわれている。その問題点を答えなさい。

<解答欄>

1　収益費用アプローチ

①	
②	

資産負債アプローチ

①	
②	

2

(1)			
(2)			
(3)	名称		
	内容		
(4)			
(5)			

解 答

1　収益費用アプローチ

①	収益費用アプローチは、企業の損益計算[2]を計算の重点と捉えている。
②	収益費用アプローチにおいては、期間利益は、収益と費用の差額[2]により計算される。

資産負債アプローチ

①	資産負債アプローチは、企業の純資産計算[2]を計算の重点と捉えている。
②	資産負債アプローチにおいては、期間利益は、資産と負債の差額である純資産の当期増減額[1]から資本取引の影響による増減額を排除[1]することにより計算される。

2

(1)	資産とは、過去の取引または事象の結果[1]として、報告主体が支配している経済的資源[1]をいう。	
(2)	負債とは、過去の取引または事象の結果として、報告主体が支配している経済的資源[1]を放棄もしくは引き渡す義務、またはその同等物[1]をいう。	
(3)	名称	割引現価主義
	内容	割引現価主義とは、当該資産又は負債から得られるべき各期間の将来キャッシュ・フロー[1]を一定の割引率[1]で割り引いた現在価値の総和をもって資産又は負債の評価額とする会計思考[2]である。
(4)	資産を経済的資源、負債を経済的資源を放棄もしくは引き渡す義務またはその同等物とみる資産・負債の概念[1]に立てば、当該資産・負債から生じるであろうキャッシュ・フローを現在価値に割り引いた額をもって評価[1]することで、資産・負債の本質と評価が会計理論的に一貫したものとなる[2]と考えられるためである。	

(5)	将来キャッシュ・フローの予測及び割引率の決定に、経営者の恣意性が介入する可能性がある[4]。

【配　点】

1　収益費用アプローチ　各２点　資産負債アプローチ　各２点

2 (1)　２点　(2)　２点　(3)名称　１点　内容　４点　(4)　４点　(5)　４点

合計25点

解答への道

1　収益費用アプローチ

(1) 収益費用アプローチとは

収益費用アプローチとは、企業の収益力（業績）を明らかにするため、収益・費用を重視する思考である。それゆえ、収益費用アプローチのもとでは、収益・費用の認識・測定が重要なテーマとなる。

一般に、企業会計原則及び伝統的な会計理論が採っているアプローチが収益費用アプローチである。

(2) 収益費用アプローチのもとでの利益計算

収益費用アプローチのもとでの期間利益は、収益から費用を差し引くことによって求められる。

企業の収益力（業績）を明らかにするためには、利益獲得の源泉となった収益と、その収益を獲得するために犠牲となった費用を対応させて利益を計算することにより、当該企業の活動の業績が明らかとなるからである。

2　資産負債アプローチ

(1) 資産負債アプローチとは

資産負債アプローチとは、企業の価値を明らかにするため、資産・負債を重視する思考である。企業の価値は貸借対照表上の資産から負債を差し引いた純資産がそれを表すため、資産負債アプローチのもとでは純資産を求める要素となる資産・負債の認識・評価が重要なテーマとなる。

このような資産負債アプローチの考え方は、近年、アメリカをはじめとして、国際的にも主流となっており、「税効果会計に係る会計基準」や「金融商品に関する会計基準」においても一部その考え方が導入されている。

(2) 資産負債アプローチのもとでの利益計算

資産負債アプローチのもとでの期間利益は、期末純資産から期首純資産を差し引くことによって求められる。

企業の価値を明らかにするため、純資産計算を重視する資産負債アプローチのもとでは、まず純資産を求める要素となる資産・負債を適正な価値で評価することが重要となる。適正な価値で評価された資産・負債に基づいて算定された純資産こそが企業の正しい価値を表すこととなるからである。

そしてその純資産の増加分、すなわち企業価値の増加分のうち資本取引の影響による増減額を排除することによって利益として計算するのである。

3　資産の定義

(1) 静態論会計における資産の定義

会計の目的が、経営者による財産の保全や債権者に対する返済手段の確保にある場合には、それに応じて資産を考えるのが合理的であるから、資産の本質は換金可能性に求められる。

(2) 動態論会計（収益費用アプローチ）における資産の定義

企業会計の目的が財産計算から期間損益計算に移ってくると、資産概念自体も大きく変化することとなる。すなわち、継続企業を前提とした企業活動の経営資本の循環過程から資産を捉えるようになる。この考え方は、資産を企業資本の運用形態であると捉えるものであるが、一般的には、資産を、①投下過程にある費用性資産と、②回収過程にある貨幣性資産と説明するものである。

(3) 新しい会計理論（資産負債アプローチ）における資産の定義

最近では直接金融への依存が進み、しかも金融市場がグローバル化し、大量の資金が瞬時に移動することとなったため、より一層企業への投資の関心が高まるとともに、企業の投資価値が注目され、これに応じて企業価値を表すべき貸借対照表への注目が高まってきている。こうした変化に応じて、資産の概念は、期間損益計算の都合から規定されるのではなく、その独自の存在価値に注目して規定されるようになる。それが「過去の取引または事象の結果として、報告主体が支配している経済的資源」といわれる資産概念である。

支配とは、「報告主体がその経済的資源を利用し、そこから生み出される便益を享受できる状態」を指している。したがって、支配とは、報告主体ではない他者が、その経済的資源からの便益に接近することについて、否定又は制御できることを意味している。

経済的資源とは、「キャッシュの獲得に貢献する便益の集合体」を意味する。そこで文言から明らかなとおり、資産とみなされるために所有権は絶対的なものではない。また、資産の定義に関連して、繰延資産が問題となりうる。繰延資産は収益と費用との対応という考え方や期間利益の平準化といった考え方に基づいて、発生費用の一部を繰り延べたものであり、当該資産の定義に適合しないのではないかとの指摘があるかもしれない。しかし、それが将来においてキャッシュを獲得しうる可能性があると考えられる場合には、資産の定義にあてはまると考えられる。

4　負債の定義

負債は「過去の取引または事象の結果として、報告主体が支配している経済的資源を放棄もしくは引き渡す義務、またはその同等物」と定義される。ここにいう同等物とは、例えば、法律上の義務に準ずるものが含まれる。こうした負債の定義は、義務という概念に結び付けられる点で厳格な定義となっている。

そのため、わが国の現行会計制度で貸借対照表上、負債に含められている項目の中には、この定義にあてはまらないものが存在する。具体的には、繰延収益に該当する項目や債務性のない引当金（修繕引当金など）が該当する。ただし、これらの項目については資産の控除項目という見方もあることなどから、貸借対照表へ計上されることとなる。

5　割引現価主義

(1) 割引現価主義の論拠

資産を企業にキャッシュ・フローをもたらす経済的資源、負債を経済的資源を放棄もしくは引き渡す義務またはその同等物とみる概念に立てば、当該資産・負債から生じるであろうキャッシュ・フローを現在価値に割り引いた額をもって当該資産・負債の評価額とすることが理論上最も合理的であるといえる。

(2) 割引現価主義の問題点

① 割引現価主義は、将来のキャッシュ・フローの予測及び割引率といった主観性のきわめて強い計算要素を前提としているため、客観性に欠ける。

② さらに企業の大部分の資産は、それらが企業内で一体として利用されることによってキャッシュ・フローを得るものであるから、各資産を個別に切り放してそれぞれのキャッシュ・フローを測定しようとすることは理論的ではない。

(3) 企業会計との関係

上記の問題点から、割引現価主義を全面的に取り入れることは困難であるが、最近では、投資意思決定のための情報を提供する立場から、退職給付に関する会計基準などにおいて、部分的に取り入れられてきている。

第27問　概念フレームワーク

重要度	B

「討議資料　財務会計の概念フレームワーク」（以下、「概念フレームワーク」という。）に関して次の各問に答えなさい。

> 財務報告はさまざまな役割を果たしているが、ここでは、その目的が、投資家による企業成果の予測と企業価値の評価に役立つような、企業の財務状況の開示にあると考える。自己の責任で将来を予測し投資の判断をする人々のために、企業の投資のポジション（ストック）①とその成果（フロー）②が開示されるとみるのである。

1　「概念フレームワーク」においては貸借対照表を上記下線①のように捉えているが、当該貸借対照表の構成要素である資産及び負債の定義を「概念フレームワーク」に基づいて述べなさい。

2　上記１の資産の定義を満たすにもかかわらず、上記財務報告の目的の観点から除外されるものがある。その一般的な名称をあげなさい。

3　上記下線②は利益の情報によって表されることとなるが、意思決定有用性の観点から「概念フレームワーク」のもとで重視されている利益の名称を述べなさい。

4　上記３の利益を生み出す投資の正味のストックは何か、当該正味のストックを示す構成要素の名称を述べなさい。

また、当該構成要素について「概念フレームワーク」ではどのように定義されているか述べなさい。

<解答欄>

1　資産

負債

2

名称

3

名称

4

名称

定義

解答

1　資産

資産とは、過去の取引または事象の結果[2]として、報告主体が支配[1]している経済的資源[2]をいう。

負債

負債とは、過去の取引または事象の結果[2]として、報告主体が支配[1]している経済的資源を放棄もしくは引き渡す義務、またはその同等物[2]をいう。

2

名称　自己創設のれん　別解：主観のれん

3

名称　純利益

4

名称　株主資本

定義

株主資本とは、純資産のうち報告主体の所有者である株主に帰属する部分[4]をいう。

【配　点】

1　各5点　　2　4点　　3　4点　　4　名称　3点　定義　4点

合計25点

解答への道

1について

「討議資料　財務会計の概念フレームワーク」(以下、「概念フレームワーク」という。)の「財務諸表の構成要素」では以下のように規定している。

4　資産とは、過去の取引または事象の結果として、報告主体が支配している経済的資源をいう。

5　負債とは、過去の取引または事象の結果として、報告主体が支配している経済的資源を放棄もしくは引き渡す義務、またはその同等物をいう。

したがって、資産については上記＿＿部分を、負債については上記～～部分を中心に解答することとなる。

2について

「概念フレームワーク」の「財務諸表の構成要素」では、以下のように述べている。

> 第４項の要件（資産の定義）は充足するものの、財務報告の目的の観点から資産に含まれないものの代表例には、いわゆる自己創設のれんがある。自己創設のれんの計上は、経営者による企業価値の自己評価・自己申告を意味するため、財務報告の目的に反するからである。

したがって、自己創設のれんを解答することとなる。

3について

概念フレームワークにおいては純利益情報が重視されている。すなわち、純利益こそ、企業活動における投資の成果を表す利益であり、この純利益が将来の企業成果の予測に役立つ利益と解されているのである。

投資者は、将来の不確実な成果を期待して、保有するキャッシュをリスクにさらすとともに、その後もこの投資を継続するか清算するかの意思決定を繰り返していく。その過程で、将来の成果に対する期待は実績からのフィードバックによって、改訂されつづける。過去の期待がその後の実績と比較され、それに基づいて、そこから先の将来に対する期待が見直されるのである。

この実績を表す利益が純利益であり、投資者は実績に基づいて将来を期待することとなるため、純利益こそが企業成果の予測に役立つ利益と解されているのである。

4について

投資の成果と投資の正味のストックの関係をまとめると以下の通りであり、純利益を生み出す投資のストックは株主資本であることからそれを解答することになる。

> **純利益を生み出す投資のストック　⇨　「株主資本」**
> 包括利益を生み出す投資のストック　⇨　「純資産」

また、「概念フレームワーク」の「財務諸表の構成要素」では以下のように規定している。

> 7　株主資本とは、純資産のうち報告主体の所有者である株主に帰属する部分をいう。

テーマ8　金融基準

第28問　金融基準①

重要度	A

「金融商品に関する会計基準」（以下、「基準」という。）に基づいて、以下の各問に答えなさい。

1　金融資産及び金融負債の発生の認識について、以下の各問に答えなさい。

(1) 原則的な発生の認識について説明しなさい。

(2) 上記(1)のように認識する理由について説明しなさい。

2　金融資産及び金融負債の消滅の認識についてそれぞれ説明しなさい。

3　条件付きの金融資産の消滅の認識には、２つの方法が考えられる。当該２つの方法の名称を答えなさい。なお、「基準」が採用している方法の名称を答案用紙の①に記入しなさい。

<解答欄>

1

(1)	
(2)	

2　金融資産の消滅の認識

金融負債の消滅の認識

3

①	
②	

テーマ8 金融基準

解　答

1

(1)	金融資産の契約上の権利[1]又は金融負債の契約上の義務[1]を生じさせる契約を締結したとき[3]は、原則として、当該金融資産又は金融負債の発生を認識しなければならない。
(2)	金融資産又は金融負債自体を対象とする取引については、当該取引の契約時から[1]当該金融資産又は金融負債の時価の変動リスク[2]や契約の相手方の財政状態等に基づく信用リスク[2]が契約当事者に生じるため[1]、契約締結時においてその発生を認識するのである。

2　金融資産の消滅の認識

金融資産の契約上の権利を行使[2]したとき、権利を喪失[2]したとき又は権利に対する支配が他に移転[2]したときは、当該金融資産の消滅を認識しなければならない。

金融負債の消滅の認識

金融負債の契約上の義務を履行[2]したとき、義務が消滅[2]したとき又は第一次債務者の地位から免責[2]されたときは、当該金融負債の消滅を認識しなければならない。

3

①	財務構成要素アプローチ
②	リスク経済価値アプローチ

【配　点】

1 (1)　5点　(2)　6点

2　金融資産の消滅の認識　6点　金融負債の消滅の認識　6点

3　2点（完答）　　合計25点

解答への道

1　金融資産及び金融負債の発生の認識

「金融商品に関する会計基準」（以下、「基準」という。）では、金融資産及び金融負債に係る契約を締結したときに取引を認識する。このように認識するのは、有価証券の売買のように金融資産自体を対象とする取引については、取引の契約時から金融資産（有価証券）の時価変動リスク及び信用リスクが買手側に移るためである。

なお、商品等の売買又は役務の提供の対価に係る金銭債権・債務は、一般に商品等の受渡し又は役務の提供の完了によりその発生を認識することとなる。例えば、商品を掛販売したことにより生じた売掛金は「基準」でいう金銭債権に当たるため金融資産に含まれることになるが、当該売掛金は売買契約の締結時ではなく商品の引渡日すなわち収益が実現した日に認識されるのである。

	有価証券	商品の販売の対価に係る金銭債権
契約日	**有価証券 ××／未 払 金 ××**	―――
引渡日	―――	**売 掛 金 ××／売 上 高 ××**
決済日	未 払 金 ××／現金預金 ××	現金預金 ××／売 掛 金 ××

2　金融資産の消滅の認識

(1) 権利を行使したとき

例：債権者（当社）が売掛金や貸付金などの金銭債権に係る資金を回収したとき

(2) 権利を喪失したとき

例：保有者（当社）が新株予約権（有償取得）の権利行使をしないまま権利行使期限が到来したとき

(3) 権利に対する支配が他に移転したとき

例：保有者（当社）が有価証券を売却したとき

3　金融負債の消滅の認識

(1) 契約上の義務を履行したとき

例：債務者（当社）が債権者に現金を支払ったとき

(2) 義務が消滅したとき

例：当社の債権者が債権を放棄したとき、時効により義務が消滅したとき

(3) 第一次債務者の地位から免責されたとき

例：債務者（当社）が法的な手続に基づき現金又はその他の金融資産と交換に負債を第三者に引き受けてもらうことにより、当該負債に係る第一次債務者の地位から法的に免責されたとき

4　条件付の金融資産の譲渡に係る支配の移転

(1) リスク・経済価値アプローチ

リスク・経済価値アプローチは、金融資産のリスクと経済価値のほとんどすべてが他に移転した場合に当該金融資産の消滅を認識する方法である。

(2) 財務構成要素アプローチ

財務構成要素アプローチは、金融資産を構成する財務的要素（財務構成要素）に対する支配が他に移転した場合に、当該移転した財務構成要素の消滅を認識し、留保される財務構成要素の存続を認識する方法である。

(3) 「基準」が採用する方法

① 「基準」が採用する方法

「基準」では、財務構成要素アプローチを採用している。

② 理　由

リスク・経済価値アプローチでは金融資産を財務構成要素に分解して支配の移転を認識することができず、取引の実質的な経済効果が譲渡人の財務諸表に反映されないためである。

第29問　金融基準②

重要度	A

「金融商品に関する会計基準」（以下、「基準」という。）に基づいて、以下の各問に答えなさい。

1　以下の文章は「基準」から一部抜粋したものである。空欄①及び②に入る適切な用語を答えなさい。

> 金融資産については、一般的には、［①］が存在すること等により［②］な価額として時価を把握できるとともに、当該価額により換金・決済等を行うことが可能である。

2　「基準」に基づき、金融資産に時価評価が必要とされる理由について説明しなさい。

3　金融資産に全面的な時価評価が採用されず、保有目的に応じた評価が採用されている理由について説明しなさい。

<解答欄>

1

①		②	

2

3

テーマ8　金融基準

解　答

1

①	市場	②	客観的

2

時価による自由な換金・決済等が可能な金融資産については、投資情報[3]としても、企業の財務認識[3]としても、さらに、国際的調和化[3]の観点からも、これを時価評価し適切に財務諸表に反映することが必要であると考えられる[1]ためである。

3

保有目的等をまったく考慮せずに時価評価[3]を行うことは、必ずしも、企業の財政状態及び経営成績を適切に財務諸表に反映させることにならないため[6]である。

【配　点】

1　各３点　　2　10点　　3　９点　　合計25点

解答への道

1　金融資産の特性

金融資産のもつ固有の特性として、次の２点があげられる。

(1) 一般的には、市場が存在することにより客観的な金額として時価を把握することができること（時価の客観性とその把握の容易性）

(2) 市場価格により換金・決済を行うことが可能であること（時価による流動化の可能性）

2　時価評価の必要性

(1) 投資情報の観点

金融資産の多様化、価格変動リスクの増大、取引の国際化等の状況のもとで投資者が自己責任に基づいて投資判断を行うために、金融資産の時価評価を導入して企業の財務活動の実態を適切に財務諸表に反映させ、投資者に対して的確な財務情報を提供することが必要である。

(2) 企業の財務認識の観点

金融資産に係る取引の実態を反映させる会計処理すなわち金融資産の時価評価は、企業の側においても、取引内容の十分な把握とリスク管理の徹底及び財務活動の成果の的確な把握のために役立つのである。

(3) 国際的調和化の観点

わが国企業の国際的な事業活動の進展、国際市場での資金調達及び海外投資者のわが国証券市場での投資の活発化という状況のもとで、財務諸表等の企業情報は、国際的視点からの同質性や比較可能性が強く求められている。

また、デリバティブ取引等の金融取引の国際的レベルでの活性化を促すためにも、金融資産に係るわが国の会計基準の国際的調和化、すなわち金融資産の時価評価が必要となるのである。

3　保有目的に応じた処理方法

金融資産はその属性及び保有目的に鑑み、実質的に価格変動リスクを認める必要のない場合や直ちに売買・換金を行うことに事業遂行上等の制約がある場合が考えられる。

このような保有目的等をまったく考慮せずに時価評価を行うことが、必ずしも、企業の財政状態及び経営成績を適切に財務諸表に反映させることにならないと考えられる。

それゆえ、金融資産については、時価評価を基本としつつ保有目的に応じた処理方法が必要となるのである。

第30問　金融基準③

重要度	B

「金融商品に関する会計基準」に基づいて、以下の各問に答えなさい。

1　以下の文章の空欄 ① から ④ に入る適切な用語を答えなさい。

> 14.　受取手形、売掛金、貸付金その他の債権の貸借対照表価額は、 ① から貸倒見積高に基づいて算定された ② を控除した金額とする。ただし、債権を債権金額より低い価額又は高い価額で取得した場合において、取得価額と債権金額との差額の性格が金利の調整と認められるときは、 ③ に基づいて算定された価額から貸倒見積高に基づいて算定された ② を控除した金額としなければならない。
>
> 26.　支払手形、買掛金、借入金、社債その他の債務は、 ④ をもって貸借対照表価額とする。ただし、社債を社債金額よりも低い価額又は高い価額で発行した場合など、収入に基づく金額と債務額とが異なる場合には、 ③ に基づいて算定された価額をもって、貸借対照表価額としなければならない。

2　金銭債権について時価評価が行われない理由を説明しなさい。

3　金銭債務について時価評価が行われない理由を説明しなさい。

<解答欄>

1

①		②	
③		④	

2

3

テーマ8 金融基準

解　答

1

①	取得価額	②	貸倒引当金
③	償却原価法	④	債務額

2

金銭債権については、一般的に、活発な市場がない場合が多い[1]ためである。このうち、受取手形や売掛金は、通常、短期的に決済されることが予定されており、帳簿価額が時価に近似している[2]ものと考えられ、また、貸付金等の債権は、時価を容易に入手できない場合や売却することを意図していない場合が少なくない[2]と考えられるので、金銭債権については、原則として時価評価は行わないこととした。

3

金銭債務は、一般的には市場がない[2]か、社債のように市場があっても、自己の発行した社債を時価により自由に清算するには事業遂行上等の制約がある[2]と考えられるので、時価評価を行わないこととした。

【配　点】

1　各４点　　2　５点　　3　４点　　合計25点

解答への道

1　金銭債権及び金銭債務の評価

「金融商品に関する会計基準」においては、金銭債権及び金銭債務の評価について次のように規定している。

14．受取手形、売掛金、貸付金その他の債権の貸借対照表価額は、**取得価額**①から貸倒見積高に基づいて算定された**貸倒引当金**②を控除した金額とする。ただし、債権を債権金額より低い価額又は高い価額で取得した場合において、取得価額と債権金額との差額の性格が金利の調整と認められるときは、**償却原価法**③に基づいて算定された価額から貸倒見積高に基づいて算定された**貸倒引当金**②を控除した金額としなければならない。

26．支払手形、買掛金、借入金、社債その他の債務は、**債務額**④をもって貸借対照表価額とする。ただし、社債を社債金額よりも低い価額又は高い価額で発行した場合など、収入に基づく金額と債務額とが異なる場合には、**償却原価法**③に基づいて算定された価額をもって、貸借対照表価額としなければならない。

2　金銭債権について時価評価を行わない理由

「金融商品に関する会計基準」においては、金銭債権を時価評価しない理由について次のように述べている。

68．一般的に、金銭債権については、活発な市場がない場合が多い。このうち、受取手形や売掛金は、通常、短期的に決済されることが予定されており、帳簿価額が時価に近似しているものと考えられ、また、貸付金等の債権は、時価を容易に入手できない場合や売却することを意図していない場合が少なくないと考えられるので、金銭債権については、原則として時価評価は行わないこととした。一方、債権の取得においては、債権金額と取得価額とが異なる場合がある。この差異が金利の調整であると認められる場合には、金利相当額を適切に各期の財務諸表に反映させることが必要である。したがって、債権については、償却原価法を適用することとし、当該加減額は受取利息に含めて処理することとした。なお、債務者の財政状態及び経営成績の悪化等による債権の実質価額の減少については、別途、「V．貸倒見積高の算定」において取り扱うこととした。

3　金銭債務について時価評価を行わない理由

「金融商品に関する会計基準」においては、金銭債務を時価評価しない理由について次のように述べている。

> 67.　一方、金融負債は、借入金のように一般的には市場がないか、社債のように市場があっても、自己の発行した社債を時価により自由に清算するには事業遂行上等の制約があると考えられることから、デリバティブ取引により生じる正味の債務を除き、債務額（ただし、社債を社債金額よりも低い価額又は高い価額で発行した場合など、収入に基づく金額と債務額とが異なる場合には、償却原価法に基づいて算定された価額）をもって貸借対照表価額とし、時価評価の対象としないことが適当であると考えられる。

（MEMO）

第31問 金融基準④

重要度 A

「金融商品に関する会計基準」（以下、「基準」という。）においては、有価証券を保有目的ごとに①売買目的有価証券、②満期保有目的の債券、③子会社株式及び関連会社株式、④その他有価証券に分類し、それぞれに応じた評価、評価差額の処理方法を定めている。これに基づいて、以下の各問に答えなさい。

1　上記①及び④に示した有価証券はともに時価をもって貸借対照表価額とするが、その理由を簡潔に述べなさい。

2　上記①について、評価差額を当期の損益として処理する理由を述べなさい。

3　上記④については、評価差額を原則として純資産の部に計上することとなるが、その理由を述べなさい。

4　上記②及び③それぞれについて評価方法を述べるとともに、当該評価が行われる理由を述べなさい。

＜解答欄＞

1

2

3

4　満期保有目的の債券

① 評価方法	
② 理由	

子会社株式及び関連会社株式

① 評価方法	
② 理由	

解　答

1

売買目的有価証券及びその他有価証券については、投資情報1としても、企業の財務認識1としても、さらに国際的調和化1の観点からも、時価評価し、適切に財務諸表に反映することが必要1である。

2

売買目的有価証券は、売却することについて事業遂行上等の制約がなく2、時価の変動にあたる評価差額が企業にとっての財務活動の成果と考えられる2ことから、その評価差額は当期の損益として処理する。

3

その他有価証券については、事業遂行上等の必要性から直ちに売買・換金を行うには制約を伴う要素もあり3、評価差額を直ちに当期の損益として処理することは適切ではないため1、評価差額を当期の損益として処理することなく、税効果を調整のうえ、純資産の部に記載することとする。

4　満期保有目的の債券

① 評価方法	満期保有目的の債券については、取得原価1をもって貸借対照表価額とする。ただし、債券を債券金額より低い価額又は高い価額で取得した場合において、取得価額と債券金額との差額の性格が金利の調整と認められるとき1は、償却原価法に基づいて算定された価額1をもって、貸借対照表価額としなければならない。
② 理由	満期保有目的の債券については、時価が算定できるものであっても、満期まで保有することによる約定利息及び元本の受取りを目的1としており、満期までの間の金利変動による価格変動リスクを認める必要がない2ことから、原則として、取得原価又は償却原価法に基づいて算定された価額をもって貸借対照表価額とする。

子会社株式及び関連会社株式

① 評価方法	子会社株式及び関連会社株式は、取得原価[3]をもって貸借対照表価額とする。
② 理由	子会社株式については、事業投資と同じく時価の変動を財務活動の成果とは捉えない[2]という考え方に基づき、取得原価をもって貸借対照表価額とする。 また、関連会社株式については、他企業への影響力の行使を目的として保有する株式[1]であることから、子会社株式の場合と同じく事実上の事業投資と同様の会計処理を行うことが適当である[1]ため、取得原価をもって貸借対照表価額とする。

【配　点】

1　4点　　2　4点　　3　4点

4　満期保有目的の債券　①評価方法　3点　②理由　3点

子会社株式及び関連会社株式　①評価方法　3点　②理由　4点　　合計25点

解答への道

1　売買目的有価証券の評価及び評価差額の処理

売買目的有価証券については、投資者にとっての有用な情報は有価証券の期末時点での時価に求められると考えられるため、時価をもって貸借対照表価額とする。

2　満期保有目的の債券の評価

満期保有目的の債券については、時価が算定できるものであっても、満期まで保有することによる約定利息及び元本の受取りを目的としており、満期までの間の金利変動による価格変動のリスクを認める必要がないことから、原則として、取得原価又は償却原価法に基づいて算定された価額をもって貸借対照表価額とするのである。

テーマ8 金融基準

3　子会社株式及び関連会社株式の評価

(1) 子会社株式については、事業投資と同じく時価の変動を財務活動の成果とは捉えないという考え方に基づき、取得原価をもって貸借対照表価額とする。

(2) また、関連会社株式については、他企業への影響力の行使を目的として保有する株式であることから、子会社株式の場合と同じく事実上の事業投資と同様の会計処理を行うことが適当であるため、取得原価をもって貸借対照表価額とするのである。

なお、関連会社とは出資、人事、資金、技術、取引等の関係を通じて、子会社以外の他の会社の財務及び営業の方針に対して重要な影響を与えることができる場合における当該他の会社をいう。例えば、子会社以外の他の会社の議決権の20%以上を実質的に保有している場合等における当該他の会社が関連会社に該当する。

4　その他有価証券の評価及び評価差額の処理

(1) その他有価証券に時価評価を採用する根拠は、以下のとおりである。

① 投資者が自己責任に基づいて投資判断を行うためには、その他有価証券に時価評価を導入して、企業の財務活動の実態を財務諸表に適切に反映することが必要であること。

② その他有価証券に係る取引の実態を反映させる会計処理は、企業の側においても、取引内容の十分な把握とリスク管理の徹底及び財務活動の成果の的確な把握のために必要であること。

③ 財務諸表等の企業情報は、国際的視野からの同質性や比較可能性を求められていること。

(2) その他有価証券の時価の変動により生じた評価差額の処理の特徴として、当該評価差額を税効果を調整のうえ、直接貸借対照表の純資産の部に計上するということがあげられる(これを全部純資産直入法という)。

これは、その他有価証券の時価の変動は投資者にとって有用な投資情報であるが、その他有価証券については、事業遂行上等の必要性から直ちに売買・換金を行うことは制約を伴う要素もあり、評価差額を直ちに当期の損益として計上することは適切ではないという考え方によるものである。

(3) なお、その他有価証券に係る評価差額の処理について、①時価が取得原価を上回る銘柄については、税効果会計適用後の評価差額を直接貸借対照表の純資産の部に計上し、②時価が取得原価を下回る銘柄に係る評価差額は、当期の損失として損益計算書に計上することも認められる（これを部分純資産直入法という)。

これは、企業会計上、保守主義の観点から、これまで低価法に基づく銘柄別の評価差額の損益計算書への計上が認められてきたことへの配慮によるものである。

（MEMO）

テーマ8
金融基準

第32問　金融基準⑤

重要度	B

次の文章は、「金融商品に関する会計基準」（以下、「金融基準」という。）から一部抜粋したものである。これに関連して以下の各問に答えなさい。

> 18. 売買目的有価証券、満期保有目的の債券、子会社株式及び関連会社株式以外の有価証券（以下「その他有価証券」という。）は、［①］をもって貸借対照表価額とし、評価差額は洗い替え方式に基づき、次のいずれかの方法により処理する。
>
> (1) 評価差額の合計額を［②］に計上する。（以下省略）
>
> 25. デリバティブ取引により生じる正味の債権及び債務は、［①］をもって貸借対照表価額とし、評価差額は、原則として、［③］として処理する。

1　空欄［①］から［③］にあてはまる適切な語句を答案用紙に記入しなさい。

2　その他有価証券に係る評価差額が、原則として、空欄［③］として処理されない理由を説明しなさい。

3　デリバティブ取引により生じる正味の債権及び債務に係る評価差額が、原則として、空欄［③］として処理される理由を説明しなさい。

4　上記2及び3の会計処理は、その他有価証券をヘッジ対象とし、デリバティブ取引をヘッジ手段とする場合に問題点が指摘されるが、その問題点について説明しなさい。

5　ヘッジ会計の方法には、繰延ヘッジと時価ヘッジの2つがあるが、「金融基準」において原則とされる方法の名称を答案用紙に記入するとともに、その内容を説明しなさい。

<解答欄>

1

①		②		③	

2

3

4

5

名称

内容

解　答

1

①	時価	②	純資産の部	③	当期の損益

2

その他有価証券については、事業遂行上等の必要性から直ちに売買・換金を行うことには制約を伴う要素もあり3、評価差額を直ちに当期の損益として処理することは適切ではないため3である。

3

デリバティブ取引により生じる正味の債権及び債務の時価の変動は、企業にとって財務活動の成果であると考えられるため3である。

4

ヘッジ対象に係る損益とヘッジ手段に係る損益が期間的に合理的に対応しなくなり3、ヘッジ対象の相場変動等による損失の可能性がヘッジ手段によってカバーされているという経済的実態が財務諸表に反映されない3という問題点が生ずる。

5

名称　繰延ヘッジ

内容

繰延ヘッジとは、時価評価されているヘッジ手段に係る損益又は評価差額3を、ヘッジ対象に係る損益が認識されるまで純資産の部において繰り延べる方法3である。

【配　点】

1　各1点　　2　6点　　3　3点　　4　6点　　5　名称　1点　内容　6点

合計25点

解答への道

1について

「金融商品に関する会計基準」（以下、「金融基準」という。）では、その他有価証券及びデリバティブ取引により生じる正味の債権及び債務の評価及び評価差額の取扱いについて、次のように規定している。

> 18．売買目的有価証券、満期保有目的の債券、子会社株式及び関連会社株式以外の有価証券（以下「その他有価証券」という。）は、**時価**①をもって貸借対照表価額とし、評価差額は洗い替え方式に基づき、次のいずれかの方法により処理する。
> (1) 評価差額の合計額を**純資産の部**②に計上する。（以下省略）
>
> 25．デリバティブ取引により生じる正味の債権及び債務は、**時価**①をもって貸借対照表価額とし、評価差額は、原則として、**当期の損益**③として処理する。

2について

「金融基準」では、その他有価証券に係る評価差額を、原則として、当期の損益として処理しない理由について、次のように規定している。

> 77．その他有価証券の時価は投資者にとって有用な投資情報であるが、<u>その他有価証券については、事業遂行上等の必要性から直ちに売買・換金を行うことには制約を伴う要素もあり、評価差額を直ちに当期の損益として処理することは適切ではないと考えられる</u>。

したがって、上記の＿＿部分を解答することとなる。

3について

「金融基準」では、デリバティブ取引により生じる正味の債権及び債務に係る評価差額を、原則として、当期の損益として処理する理由について、次のように規定している。

> 88．デリバティブ取引は、取引により生じる正味の債権又は債務の時価の変動により保有者が利益を得又は損失を被るものであり、投資者及び企業双方にとって意義を有する価値は当該正味の債権又は債務の時価に求められると考えられる。したがって、デリバティブ取引により生じる正味の債権及び債務については、時価をもって貸借対照表価額とすることとした。
>
> また、<u>デリバティブ取引により生じる正味の債権及び債務の時価の変動は、企業にとって財務活動の成果であると考えられることから、その評価差額は、後述するヘッジに係るものを除き、当期の損益として処理することとした</u>。

したがって、上記の＿＿部分を解答することとなる。

4について

(1) ヘッジ会計

ヘッジ会計とは、ヘッジ取引のうち一定の要件を充たすものについて、ヘッジ対象に係る損益とヘッジ手段に係る損益を同一の会計期間に認識し、ヘッジの効果を会計に反映させるための特殊な会計処理をいう。ヘッジ取引についてヘッジ会計が適用されるためには、ヘッジ対象が相場変動等による損失の可能性にさらされており、ヘッジ対象とヘッジ手段とのそれぞれに生じる損益が互いに相殺されるか又はヘッジ手段によりヘッジ対象のキャッシュ・フローが固定されその変動が回避される関係になければならない。なお、ヘッジ対象が複数の資産又は負債から構成されている場合は、個々の資産又は負債が共通の相場変動等による損失の可能性にさらされており、かつ、その相場変動等に対して同様に反応することが予想されるものでなければならない。

(2) 採用理由

ヘッジ手段であるデリバティブ取引については、原則的な処理方法によれば時価評価され損益が認識されることとなるが、ヘッジ対象の資産に係る相場変動等が損益に反映されない場合には、両者の損益が期間的に合理的に対応しなくなり、ヘッジ対象の相場変動等による損失の可能性がヘッジ手段によってカバーされているという経済的実態が財務諸表に反映されないこととなる。このため、ヘッジ対象及びヘッジ手段に係る損益を同一の会計期間に認識し、ヘッジの効果を財務諸表に反映させるヘッジ会計が必要と考えられるのである。

(3) ヘッジ会計の方法

ヘッジ会計の方法には、繰延ヘッジと時価ヘッジがあり、繰延ヘッジを原則とする。

① 繰延ヘッジ

繰延ヘッジとは、時価評価されているヘッジ手段に係る損益又は評価差額を、ヘッジ対象に係る損益が認識されるまで純資産の部において繰り延べる方法である。

② 時価ヘッジ

時価ヘッジとは、ヘッジ対象である資産又は負債に係る相場変動等を損益に反映させることにより、その損益とヘッジ手段に係る損益とを同一の会計期間に認識する方法である。

テーマ9　リース基準

第33問　リース基準

重要度	A

1　ファイナンス・リース取引とはどのような取引か「リース取引に関する会計基準」に基づいて説明しなさい。

2　ファイナンス・リース取引については、通常の売買取引に準じた会計処理が行われるが、その理由を説明しなさい。

3　上記2による処理の結果、貸借対照表に計上される(1)リース資産の資産性、(2)リース債務の負債性について説明しなさい。

＜解答欄＞

1

2

3

(1)	
(2)	

解　答

1

ファイナンス・リース取引とは、リース期間の中途において当該契約を解除することができないリース取引 2 又はこれに準ずるリース取引 2 で、借手が、リース物件からもたらされる経済的利益を実質的に享受することができ 2 、かつ、当該リース物件の使用に伴って生ずるコストを実質的に負担することとなるリース取引 2 をいう。

2

ファイナンス・リース取引は、リース取引の借手によるリース物件の割賦購入又は借入資金によるリース物件の購入取引 2 とみることができ、その経済的実態が売買取引 3 と考えられるため、原則として売買取引に係る方法に準じて会計処理を行う。

3

(1)	リース資産は、リース契約により、借手がリース資産の使用収益によって経済的利益を享受する権利を有する 4 ことから、資産性が認められる 2 。
(2)	リース債務は、ファイナンス・リースが中途解約が不能である 2 ため、借手は実質的にリース債務の支払義務を負うことになる 2 ことから、負債性が認められる 2 。

【配　点】

1　8点　**2**　5点　**3**(1)　6点　(2)　6点　合計25点

解答への道

1　ファイナンス・リース取引

ファイナンス・リース取引とは、ノンキャンセラブル及びフルペイアウトの２つの要件を満たすリース取引をいう。

(1) ノンキャンセラブル

ノンキャンセラブルとは、リース契約に基づくリース期間の中途において当該契約を解除することができない又は法的形式上は解約可能であるとしても、解約に際し相当の違約金を支払わなければならない等の理由から事実上解約不能と認められることをいう。

(2) フルペイアウト

フルペイアウトとは、借手がリース契約に基づき使用する物件からもたらされる経済的利益を実質的に享受することができ、かつ、当該リース物件の使用に伴って生ずるコストを実質的に負担することをいう。

2　ファイナンス・リース取引の会計処理

ファイナンス・リース取引は、法律上は賃貸借取引に該当することとなるが、ノンキャンセラブル及びフルペイアウトの２つの要件を満たす取引であることから、その経済的実態は、リース取引の借手によるリース物件の割賦購入又は借入資金によるリース物件の購入取引とみることができる。

よって、その経済的実態はリース物件の売買取引とみることができることから、原則として売買取引に準じた会計処理が行われることとなる。

3　リース資産の資産性

リース資産は、リース契約によって、借手がリース資産の使用収益によって経済的利益を享受する権利を有することから、経済的資源としての性質が認められるため、資産性が認められる。

4　リース債務の負債性

ファイナンス・リース取引とは、リース期間の中途において当該契約を解除することができないリース取引又はこれに準ずるリース取引で、借手がリース物件からもたらされる経済的利益を実質的に享受することができ、かつ、当該リース物件の使用に伴って生ずるコストを実質的に負担することとなるリース取引をいう。

上記から明らかなようにファイナンス・リース取引が中途解約が不能であるため、借手は実質的にリース債務の支払義務を負うことになることから、リース債務はその負債性が認められる。

テーマ10　減損基準

第34問　減損基準

重要度　A

問１　「固定資産の減損に係る会計基準」（同基準の設定に関する意見書を含め、以下「基準」という。）から抜粋した下記の文章に関して以下の各問に答えなさい。

> 事業用の固定資産は［①］から減価償却等を控除した金額で評価され、損益計算においては、そのような資産評価に基づく［②］が計上されている。

１　空欄［①］及び［②］に入るべき適切な語句を記入しなさい。

２　事業用の固定資産に関しては上記文章の評価に加えて投資の回収可能性を反映させる会計処理が行われるが、その目的について述べなさい。

３　上記とは異なる金融資産に一般的に適用されている時価評価の目的を「基準」に基づいて述べなさい。

問２　「基準」で示されている固定資産の減損処理に関連する以下の各問に答えなさい。

> 減損の兆候（イ）がある資産又は資産グループについての減損損失を認識するかどうかの判定（ロ）は、資産又は資産グループから得られる［③］の総額と［④］を比較することによって行い、資産又は資産グループから得られる［③］の総額が［④］を［⑤］場合には、減損損失を認識する。

１　空欄［③］から［⑤］に入るべき適切な語句を記入しなさい。

２　下線部ロに先立って下線部イの有無を判定する理由を「基準」に基づいて述べなさい。

３　減損損失の測定方法について簡潔に述べなさい。なお、解答にあたっては２つの回収手段を示しながら「回収可能価額」についても説明すること。

４　空欄［③］の金額について、資産又は資産グループの時価を算定するためではなく、企業にとって資産又は資産グループの帳簿価額が回収可能かどうかを判定するためには、どのように見積るべきか簡潔に説明しなさい。

<解答欄>

問１

１

①

②

２

３

問２

１

③

④

⑤

２

３

４

解答

問1

1

① 取得原価　② 実現利益

2

当該会計処理の目的は、取得原価基準の下で回収可能性を反映[1]させるように、過大な帳簿価額を減額[1]し、将来に損失を繰り延べない[1]ことである。

3

資産価値の変動によって利益を測定[1]することや、決算日における資産価値を貸借対照表に表示[2]することである。

問2

1

③ 割引前将来キャッシュ・フロー　④ 帳簿価額　⑤ 下回る

2

対象資産すべてについて減損損失の認識の判定[1]を行うことが、実務上、過大な負担[2]となるおそれがあることを考慮したためである。

3

帳簿価額を回収可能価額まで減額し、当該減少額を減損損失として当期の損失[1]とする。

回収可能価額とは、売却による回収額である正味売却価額と使用による回収額である使用価値のいずれか高い金額[2]をいう。

4

企業に固有の事情を反映[2]した合理的で説明可能な仮定及び予測[1]に基づいて見積る。

【配　点】

問1　1　各2点　2　3点　3　3点

問2　1　各2点　2　3点　3　3点　4　3点　合計25点

解答への道

問1　「固定資産の減損に係る会計基準の設定に関する意見書　三１」では以下のように規定している。

> 事業用の固定資産は **取得原価**① から減価償却等を控除した金額で評価され、損益計算においては、そのような資産評価に基づく **実現利益**② が計上されている。

問1　2及び3　「固定資産の減損に係る会計基準の設定に関する意見書　三１」では以下のように規定している。

> 三　基本的考え方
>
> ・・・中略・・・
>
> しかし、事業用の固定資産であっても、その収益性が当初の予想よりも低下し、資産の回収可能性を帳簿価額に反映させなければならない場合がある。このような場合における固定資産の減損処理は、棚卸資産の評価減、固定資産の物理的な滅失による臨時損失や耐用年数の短縮に伴う臨時償却などと同様に、事業用資産の過大な帳簿価額を減額し、将来に損失を繰り延べないために行われる会計処理と考えることが適当である。これは、金融商品に適用されている時価評価とは異なり、資産価値の変動によって利益を測定することや、決算日における資産価値を貸借対照表に表示することを目的とするものではなく、取得原価基準の下で行われる帳簿価額の臨時的な減額である。
>
> ・・・中略・・・

したがって、２は＿＿を要約して解答することとなり、３は上記～～～を解答することになる。

問2

１　「固定資産の減損に係る会計基準二　２(1)」では以下のように規定している。

> 減損の兆候(イ)がある資産又は資産グループについての減損損失を認識するかどうかの判定(ロ)は、資産又は資産グループから得られる **割引前将来キャッシュ・フロー**③ の総額と **帳簿価額**④ を比較することによって行い、資産又は資産グループから得られる **割引前将来キャッシュ・フロー**③ の総額が **帳簿価額**④ を **下回る**⑤ 場合には、減損損失を認識する。

2　「固定資産の減損に係る会計基準の設定に関する意見書　四２(1)」では以下のように規定している。

本基準では、資産又は資産グループに減損が生じている可能性を示す事象（減損の兆候）がある場合に、当該資産又は資産グループについて、減損損失を認識するかどうかの判定を行うこととした。これは、対象資産すべてについてこのような判定を行うことが、実務上、過大な負担となるおそれがあることを考慮したためである。企業は、内部管理目的の損益報告や事業の再編等に関する経営計画などの企業内部の情報及び経営環境や資産の市場価格などの企業外部の要因に関する情報に基づき、減損の兆候がある資産又は資産グループを識別することとなる。

したがって、上記下線部を解答することになる。

3　「固定資産の減損に係る会計基準の設定に関する意見書　四２(3)」では以下のように規定している。

減損損失を認識すべきであると判定された資産又は資産グループについては、帳簿価額を回収可能価額まで減額し、当該減少額を減損損失として当期の損失とすることとした。この場合、企業は、資産又は資産グループに対する投資を売却と使用のいずれかの手段によって回収するため、売却による回収額である正味売却価額（資産又は資産グループの時価から処分費用見込額を控除して算定される金額）と、使用による回収額である使用価値（資産又は資産グループの継続的使用と使用後の処分によって生ずると見込まれる将来キャッシュ・フローの現在価値）のいずれか高い方の金額が固定資産の回収可能価額になる。

したがって、上記下線部を解答することになる。

4　「固定資産の減損に係る会計基準　二４(1)」では以下のように規定している。

減損損失を認識するかどうかの判定に際して見積られる将来キャッシュ・フロー及び使用価値の算定において見積られる将来キャッシュ・フローは、企業に固有の事情を反映した合理的で説明可能な仮定及び予測に基づいて見積る。

したがって、上記下線部を解答することになる。

（MEMO）

テーマ11　棚卸資産基準

第35問　棚卸資産基準

重要度	A

「棚卸資産の評価に関する会計基準」（以下、「基準」という。）に関する以下の各問に答えなさい。

1　空欄 ① から ③ に入る適切な用語を答えなさい。

> 通常の販売目的（販売するための製造目的を含む。）で保有する棚卸資産は、 ① をもって貸借対照表価額とし、期末における ② が ① よりも下落している場合には、当該 ② をもって貸借対照表価額とする。この場合において、 ① と当該 ② との差額は ③ として処理する。

2　「基準」において、棚卸資産の収益性が低下した場合に簿価の切下げを求めている理由を説明しなさい。

3　「基準」では収益性の低下を判断する際に、取得原価と比較する価額として原則として正味売却価額を採用している。その理由を説明しなさい。

4　「基準」におけるトレーディング目的で保有する棚卸資産の評価及び評価差額の処理方法について説明しなさい。

5　上記４で解答した(1)評価が行われる理由及び(2)評価差額の処理が行われる理由をそれぞれ説明しなさい。

<解答欄>

1

①		②	
③			

2

3

4

5

(1)	
(2)	

解　答

1

①	取得原価	②	正味売却価額
③	当期の費用		

2

収益性が低下した場合に簿価の切下げが求められるのは、取得原価基準[1]の下で回収可能性を反映させるように、過大な帳簿価額を減額[1]し、将来に損失を繰り延べないため[2]である。

3

棚卸資産は、通常、販売によってのみ資金の回収を図る点に特徴がある[3]ためである。

4

トレーディング目的で保有する棚卸資産については、時価[2]をもって貸借対照表価額とし、帳簿価額との差額（評価差額）は、当期の損益[2]として処理する。

5

(1)	トレーディング目的で保有する棚卸資産については、投資者にとっての有用な情報[2]は棚卸資産の期末時点の市場価格に求められる[2]と考えられることから、時価をもって貸借対照表価額とする。
(2)	トレーディングを目的に保有する棚卸資産は、売買・換金に対して事業遂行上等の制約がなく[2]、市場価格の変動にあたる評価差額が企業にとっての投資活動の成果と考えられる[2]ことから、その評価差額は当期の損益として処理する。

【配　点】

1　各2点　　2　4点　　3　3点　　4　4点　　5 (1)　4点　(2)　4点
合計25点

解答への道

1　棚卸資産の簿価の切下げの考え方

わが国において、これまで棚卸資産の評価基準が原則として原価法とされてきたのは、棚卸資産の原価を当期の実現収益に対応させることにより、適正な期間損益計算を行うことができると考えられてきたためといわれている。すなわち、当期の損益が、期末時価の変動、又は将来の販売時点に確定する損益によって歪められてはならないという考えから、原価法が原則的な方法であり、低価法は例外的な方法と位置付けられてきた。

これまでの低価法を原価法に対する例外と位置付ける考え方は、取得原価基準の本質を、名目上の取得原価で据え置くことにあるという理解に基づいたものと思われる。しかし、取得原価基準は、将来の収益を生み出すという意味においての有用な原価、すなわち回収可能な原価だけを繰り越そうとする考え方であるとみることもできる。また、今日では、例えば、「金融商品会計基準」や「減損会計基準」において、収益性が低下した場合には、回収可能な額まで帳簿価額を切り下げる会計処理が広く行われている。そのため、棚卸資産についても収益性の低下により投資額の回収が見込めなくなった場合には、品質低下や陳腐化が生じた場合に限らず、帳簿価額を切り下げることが考えられる。収益性が低下した場合における簿価切下げは、取得原価基準の下で回収可能性を反映させるように、過大な帳簿価額を減額し、将来に損失を繰り延べないために行われる会計処理である。棚卸資産の収益性が当初の予想よりも低下した場合において、回収可能な額まで帳簿価額を切り下げることにより、財務諸表利用者に的確な情報を提供することができるものと考えられる。

なお、「基準」においては、これまでの品質低下や陳腐化による評価損と低価法評価損については、発生原因は相違するものの正味売却価額が下落することにより収益性が低下しているという点からみれば、会計処理上、それぞれの区分に相違を設ける意義は乏しいと考えられることなどから、これらを収益性の低下の観点からは相違がないものとして取り扱うこととしている。

2　棚卸資産の収益性の低下の判断

それぞれの資産の会計処理は、基本的に、投資の性質に対応して定められていると考えられることから、収益性の低下の有無についても、投資が回収される形態に応じて判断することが考えられる。棚卸資産の場合には、固定資産のように使用を通じて、また、債権のように契約を通じて投下資金の回収を図ることは想定されておらず、通常、販売によってのみ資金の回収を図る点に特徴がある。このような投資の回収形態の特徴を踏まえると、評価時点における資金回収額を示す棚卸資産の正味売却価額が、その帳簿価額を下回っているときには、収益性が低下していると考え、帳簿価額の切下げを行うことが適当である。

3　トレーディング目的で保有する棚卸資産の取扱い

当初から加工や販売の努力を行うことなく単に市場価格の変動により利益を得るトレーディング目的で保有する棚卸資産については、投資者にとっての有用な情報は棚卸資産の期末時点の市場価格に求められると考えられることから、時価をもって貸借対照表価額とすることとした。その場合、活発な取引が行われるよう整備された、購買市場と販売市場とが区別されていない単一の市場（例えば、金の取引市場）の存在が前提となる。また、そうした市場でトレーディングを目的に保有する棚卸資産は、売買・換金に対して事業遂行上等の制約がなく、市場価格の変動にあたる評価差額が企業にとっての投資活動の成果と考えられることから、その評価差額は当期の損益として処理することが適当と考えられる。

（MEMO）

テーマ12　研究開発基準

第36問　研究開発基準①

重要度　A

「研究開発費等に係る会計基準」（以下、「基準」という。）に関して、以下の各問に答えなさい。

1　下記に示す文章を参照の上、以下の(1)から(3)に答えなさい。

重要な投資情報である研究開発費について、企業間の［　　　］を担保することが必要であり、費用処理又は資産計上を任意とする現行の会計処理は適当でない。

(1) 上記文章中の空欄にあてはまる適当な語句を答えなさい。

(2) 上記文章中の下線部のような考えから、「基準」では研究開発費をどのように処理することとしているのか答えなさい。

(3) 上記(2)に解答したような処理が求められる理由を「基準」に基づいて2つ答えなさい。

2　下記に示す文章は、「基準」に基づくソフトウェアの処理を示したものである。これに基づき以下の(1)及び(2)に答えなさい。

1　受注制作のソフトウェア

受注制作のソフトウェア制作費は、［①］の会計処理に準じた処理を行う。

2　市場販売目的のソフトウェア

市場販売目的のソフトウェアである製品マスターの制作費は、［②］に該当する部分を除き、資産として計上しなければならない。ただし、製品マスターの［③］に要した費用は、資産として計上してはならない。

3　自社利用のソフトウェア

将来の［④］又は［⑤］が確実であるソフトウェアについては、将来の［⑥］等の観点から、その取得に要した費用を［⑦］として計上し、その［⑧］にわたり償却を行う。

(1) 上記文章中の空欄①～⑧にあてはまる適切な語句を答えなさい。

(2) 上記文章のようにソフトウェア制作費に関する会計処理が制作目的別に定められている理由を答えなさい。

＜解答欄＞

1

(1)	
(2)	

(3) ①

②

2 (1)

①		②	
③		④	
⑤		⑥	
⑦		⑧	

(2)

解答

1

(1)	比較可能性
(2)	研究開発費は発生時に費用として処理3する。

(3)①

研究開発費は、発生時には将来の収益を獲得できるか否か不明2であり、また、研究開発計画が進行し、将来の収益の獲得期待が高まったとしても、依然としてその獲得が確実であるとはいえない2からである。

②

資産計上の要件を定める場合にも、客観的に判断可能な要件を規定することは困難であり2、抽象的な要件のもとで資産計上を行うことは、企業間の比較可能性を損なうこととなる2からである。

2 (1)

①	請負工事	②	研究開発費
③	機能維持	④	収益獲得
⑤	費用削減	⑥	収益との対応
⑦	資産	⑧	利用期間

(2)

ソフトウェア制作費は、その制作目的により、将来の収益との対応関係が異なる4こと等から、取得形態別ではなく、制作目的別に会計処理する。

【配　点】

1 (1)　2点　(2)　3点　(3)①　4点　②　4点　　2 (1)　各1点　(2)　4点

合計25点

解答への道

1　研究開発費の定義

「研究開発費等に係る会計基準」（以下、「基準」という）においては、研究開発費の内容について以下のように述べている。

> 1．研究及び開発の定義について
>
> 研究及び開発の定義は研究開発費の範囲と直接結びついている。本基準では、研究開発費に関する内外企業間の比較可能性を担保するため、諸外国における定義を参考とするとともに、我が国の企業が実務慣行上研究開発として認識している範囲等を考慮しつつ検討を行い、研究及び開発を次のように定義することとした。
>
> 研究とは、「新しい知識の発見を目的とした計画的な調査及び探究」をいい、開発とは、「新しい製品・サービス・生産方法（以下、「製品等」という。）についての計画若しくは設計又は既存の製品等を著しく改良するための計画若しくは設計として、研究の成果その他の知識を具体化すること」をいう。
>
> 例えば、製造現場で行われる改良研究であっても、それが明確なプロジェクトとして行われている場合には、開発の定義における「著しい改良」に該当するものと考えられる。なお、製造現場で行われる品質管理活動やクレーム処理のための活動は研究開発には含まれないと解される。

2　研究開発費を発生時に費用処理する根拠

「基準」においては、研究開発費を発生時に費用処理する理由を次のように述べている。

> 2．研究開発費の発生時費用処理について
>
> 重要な投資情報である研究開発費について、企業間の比較可能性を担保することが必要であり、費用処理又は資産計上を任意とする現行の会計処理は適当でない。
>
> 研究開発費は、発生時には将来の収益を獲得できるか否か不明であり、また、研究開発計画が進行し、将来の収益の獲得期待が高まったとしても、依然としてその獲得が確実であるとはいえない。そのため、研究開発費を資産として貸借対照表に計上することは適当でないと判断した。
>
> また、仮に、一定の要件を満たすものについて資産計上を強制する処理を採用する場合には、資産計上の要件を定める必要がある。しかし、実務上客観的に判断可能な要件を規定することは困難であり、抽象的な要件のもとで資産計上を求めることとした場合、企業間の比較可能性が損なわれるおそれがあると考えられる。
>
> したがって、研究開発費は発生時に費用として処理することとした。

研究開発費は企業の将来の収益性を左右する重要な投資情報であるため、その処理方法については、企業間の比較可能性を担保することが必要であり、費用処理又は資産計上を任意とする会計処理は適当ではない。

よって研究開発基準においては、①研究開発費に対する将来の収益獲得について不確実性が高いこと、②抽象的な要件のもとで資産計上を行うことは、企業間の比較可能性を損なうことを理由に、研究開発費については発生時に費用として処理することとしたのである。

3　ソフトウェアの定義及び会計処理

ソフトウェアとは、コンピュータを機能させるように指令を組み合わせて表現したプログラム等をいう。「基準」では、このソフトウェア制作費の会計処理を、その制作目的により将来の収益との対応関係が異なること等から、取得形態別ではなく、制作目的別に会計処理することとしている。

制作目的別の会計処理方法に関して、「基準」では、次のように規定している。

①　受注制作のソフトウェア

受注制作のソフトウェアについては、請負工事の会計処理に準じた処理を行うこととした。

②　市場販売目的のソフトウェア

ソフトウェアを市場で販売する場合には、製品マスター（複写可能な完成品）を制作し、これを複写したものを販売することとなる。

製品マスターの制作過程には、通常、研究開発に該当する部分と製品の製造に相当する部分とがあり、研究開発の終了時点の決定及びそれ以降のソフトウェア制作費の取扱いが問題となる。

イ　研究開発の終了時点

新しい知識を具体化するまでの過程が研究開発である。したがって、ソフトウェアの制作過程においては、製品番号を付すこと等により販売の意思が明らかにされた製品マスター、すなわち「最初に製品化された製品マスター」が完成するまでの制作活動が研究開発と考えられる。

これは、製品マスターの完成は、工業製品の研究開発における量産品の設計完了に相当するものと考えられるためである。

ロ　研究開発終了後のソフトウェア制作費の取扱い

製品マスター又は購入したソフトウェアの機能の改良・強化を行う制作活動のための費用は、著しい改良と認められない限り、資産に計上しなければならない。

なお、バグ取り等、機能維持に要した費用は、機能の改良・強化を行う制作活動には該当せず、発生時に費用として処理することとなる。

製品マスターは、それ自体が販売の対象物ではなく、機械装置等と同様にこれを利用（複写）して製品を作成すること、製品マスターは法的権利（著作権）を有していること及び適正な原価計算により取得原価を明確化できることから、当該取得原価を無形固定資産として計上することとした。

③　自社利用のソフトウェア

将来の収益獲得又は費用削減が確実である自社利用のソフトウェアについては、将来の収益との対応等の観点から、その取得に要した費用を資産として計上し、その利用期間にわたり償却を行うべきと考えられる。

したがって、ソフトウェアを用いて外部に業務処理等のサービスを提供する契約が締結されている場合や完成品を購入した場合には、将来の収益獲得又は費用削減が確実と考えられるため、当該ソフトウェアの取得に要した費用を資産として計上することとした。

また、独自仕様の社内利用ソフトウェアを自社で制作する場合又は委託により制作する場合には、将来の収益獲得又は費用削減が確実であると認められる場合を除き費用として処理することとなる。

（MEMO）

第37問　研究開発基準②

重要度　B

次の文章は、「研究開発費等に係る会計基準」から一部抜粋したものである。これに関連して以下の各問に答えなさい。

四　研究開発費に該当しないソフトウェア制作費に係る会計処理

1　受注制作のソフトウェアに係る会計処理

受注制作のソフトウェアの制作費は、［①］の会計処理に準じて処理する。

2　市場販売目的のソフトウェアに係る会計処理

市場販売目的のソフトウェアである製品マスターの制作費は、［②］に該当する部分を除き、［③］として計上しなければならない。ただし、製品マスターの［④］に要した費用は、［③］として計上してはならない。(以下省略)

1　空欄［①］から［④］にあてはまる適切な語句を答案用紙に記入しなさい。

2　製品マスターの制作過程には、通常、研究開発に該当する部分と製品の製造に相当する部分とがあるが、研究開発の終了時点について簡潔に説明しなさい。

3　市場販売目的のソフトウェアである製品マスターの制作費が無形固定資産として計上される理由を4つ説明しなさい。

＜解答欄＞

1

①		②	
③		④	

2

3

テーマ12　研究開発基準

解　答

1

①	請負工事	②	研究開発費
③	資産	④	機能維持

2

研究開発の終了時点は、最初に製品化された製品マスターが完成した時点 5 である。

3

それ自体が販売の対象物ではない 4 。

機械装置等と同様にこれを利用（複写）して製品を作成するものである 4 。

法的権利（著作権）を有している 4 。

適正な原価計算により取得原価を明確化できる 4 。

【配　点】

1　各１点　　2　５点　　3　各４点　　合計25点

解答への道

1について

「研究開発費等に係る会計基準」では、受注制作のソフトウェア及び市場販売目的のソフトウェアに係る会計処理について、次のように規定している。

1　受注制作のソフトウェアに係る会計処理

受注制作のソフトウェアの制作費は、**請負工事**①の会計処理に準じて処理する。

2　市場販売目的のソフトウェアに係る会計処理

市場販売目的のソフトウェアである製品マスターの制作費は、**研究開発費**②に該当する部分を除き、**資産**③として計上しなければならない。ただし、製品マスターの**機能維持**④に要した費用は、**資産**③として計上してはならない。

2及び3について

(1) 研究開発の終了時点

新しい知識を具体化するまでの過程が研究開発である。したがって、ソフトウェアの制作過程においては、製品番号を付すこと等により販売の意思が明らかにされた製品マスター、すなわち「最初に製品化された製品マスター」が完成するまでの制作活動が研究開発と考えられる。

これは、製品マスターの完成は、工業製品の研究開発における量産品の設計完了に相当するものと考えられるためである。

(2) 研究開発終了後のソフトウェア制作費の取扱い

製品マスター又は購入したソフトウェアの機能の改良・強化を行う制作活動のための費用は、著しい改良と認められない限り、資産に計上しなければならない。

なお、バグ取り等、機能維持に要した費用は、機能の改良・強化を行う制作活動には該当せず、発生時に費用として処理することとなる。

① 機能の改良・強化に要した費用（バージョンアップ等）

製品マスターの制作過程のうち、「最初に製品化された製品マスター」の完成後における製品マスターの機能の改良・強化（バージョンアップ）の活動に要した費用は、無形固定資産として資産に計上する。

② 著しい機能強化に要した費用

機能の改良・強化が、新しい製品マスターの制作といえるほど著しい場合には、研究開発の定義に該当することになるため、発生時の費用とされる。

③ 機能維持に要した費用

バグ取り等、機能維持に要した費用は、機能の改良・強化を行う活動には該当しないため、発生時に費用として処理しなければならない。ただし、研究開発費には該当しないことに留意する。

(3) 資産計上される市場販売目的のソフトウェア制作費を無形固定資産として計上する理由

製品マスターは、それ自体が販売の対象物ではなく、機械装置等と同様にこれを利用（複写）して製品を作成すること、製品マスターは法的権利（著作権）を有していること及び適正な原価計算により取得原価を明確化できることから、当該取得原価を無形固定資産として計上することとした。

テーマ13　退職給付基準

第38問　退職給付基準

重要度	A

次の文章は「退職給付に関する会計基準」（以下「基準」という。）に規定する、個別財務諸表上における負債の計上額の規定である。これに関連して、以下の各問に答えなさい。

> 個別貸借対照表上、退職給付債務(ア)に未認識数理計算上の差異及び未認識過去勤務費用を加減した額から、年金資産(イ)の額を控除した額を負債として計上する。

1　退職給付の性格に関していくつかの考え方があるが、「基準」は退職給付の性格をどのように捉えているか答えなさい。

2　下線部(ア)の定義を簡潔に答えなさい。

3　(ア)の計算方法として現価方式（割引計算）が採用される理由を答えなさい。

4　(ア)の算定の基礎となる退職給付見込額の見積りについて、次のように指摘されることがある。「実際の退職給付の支払いは退職時における退職給付の額に基づいて行われるものであり、現在時点の退職給付の支払額のみに基づいて将来の退職給付の額を見積ることは、退職給付の実態が適切に反映していないと考えられる。」

　このことから退職給付見込額は何を考慮して見積ることとなるかを簡潔に答えなさい。

5　退職給付見込額のうち期末までに発生したと認められる額の計算について、「基準」では２つの方法を認めている。この２つの方法の名称を答えなさい。

6　下線部(ア)の計算における割引率は何を基礎に決定しなければならないかを答えなさい。

7　下線部(イ)が、下線部(ア)から控除され、貸借対照表に計上されない理由を答えなさい。なお、国際的な会計基準での取扱いについては言及しなくてよい。

<解答欄>

1

2

3

4

5

基準　　　基準

6

7

解　答

1

退職給付は、労働の対価[1]として支払われる賃金の後払い[1]であると捉えている。

2

退職給付債務とは、退職給付[1]のうち、認識時点までに発生していると認められる部分[2]を割り引いたもの[1]をいう。

3

退職給付は支出までに相当の期間[2]があることから貨幣の時間価値を考慮[2]に入れる必要があるためである。

4

退職給付見込額は、合理的に見込まれる[1]退職給付の変動要因を考慮[3]して見積る。

5

期間定額	基準	給付算定式	基準

6

退職給付債務の計算における割引率は、安全性の高い債券の利回り[4]を基礎として決定しなければならない。

7

年金資産は退職給付の支払のためのみに使用されることが制度的に担保[2]されていることなどから、これを収益獲得のために保有する一般の資産と同様に企業の貸借対照表に計上することには問題[2]があり、かえって、財務諸表の利用者に誤解を与えるおそれがある[1]と考えられるためである。

【配　点】

1　2点　　2　4点　　3　4点　　4　4点　　5　各1点　　6　4点
7　5点　　合計25点

解答への道

1について

「退職給付に関する会計基準」（以下「基準」という。）では、以下のように述べている。

53. 平成10年会計基準は退職給付について、その支給方法や積立方法が異なっているとしても退職給付であることに違いはなく、企業会計において退職給付の性格は、労働の対価として支払われる賃金の後払いであるという考え方に立ち、基本的に勤務期間を通じた労働の提供に伴って発生するものと捉えていた。このような捉え方に立てば、退職給付は、その発生が当期以前の事象に起因する将来の特定の費用的支出であり、当期の負担に属すべき金額は、その支出の事実に基づくことなく、その支出の原因又は効果の期間帰属に基づいて費用として認識するという企業会計における考え方が、企業が直接給付を行う退職給付のみならず企業年金制度による退職給付にも当てはまる。したがって、退職給付はその発生した期間に費用として認識することとなる。

54. 平成24年改正会計基準においても、将来の退職給付のうち当期の負担に属する額を当期の費用として計上するとともに負債の部に計上するという基本的な会計処理の考え方を引き継いでいる。（以下省略）

したがって、上記＿＿部分より「基準」では退職給付を、労働の対価として支払われる賃金の後払いと捉えていることがわかる。

2について

「基準」では、以下のように述べている。

6.「退職給付債務」とは、退職給付のうち、認識時点までに発生していると認められる部分を割り引いたものをいう。

したがって、上記の内容を解答することとなる。

3について

退職給付見込額のうち当期末までの発生額を、そのまま退職給付債務の額と捉えることには問題がある。なぜなら、買掛金や借入金等の他の債務と比較して、退職給付債務はそれが決済されるまでの期間が非常に長いからである。退職給付見込額のうち期末までの発生額は、将来給付される時点において期待される退職給付の額であり、期末時点の企業の負担額と一致するものではない。そこで、貨幣の時間価値を考慮に入れるため、割引計算を行うことになる。

4について

「基準」では以下のように述べている。

18. 退職給付見込額は、合理的に見込まれる退職給付の変動要因を考慮して見積る。

したがって、上記の内容を解答することとなる。

5について

「基準」では以下のように述べている。

19. 退職給付見込額のうち期末までに発生したと認められる額は、次のいずれかの方法を選択適用して計算する。この場合、いったん採用した方法は、原則として、継続して適用しなければならない。

(1) 退職給付見込額について全勤務期間で除した額を各期の発生額とする方法（以下「**期間定額基準**」という。）

(2) 退職給付制度の給付算定式に従って各勤務期間に帰属させた給付に基づき見積った額を、退職給付見込額の各期の発生額とする方法（以下「**給付算定式基準**」という。）

本問では、名称が問われているため、上記＿＿部分に基づき解答することとなる。

6について

「基準」では、以下のように述べている。

20. 退職給付債務の計算における割引率は、安全性の高い債券の利回りを基礎として決定する。

したがって、上記の内容を解答することとなる。

7について

「基準」では、以下のように述べている。

69. 企業年金制度を採用している企業などでは、退職給付に充てるため外部に積み立てられている年金資産が存在する。この年金資産は退職給付の支払のためのみに使用されることが制度的に担保されていることなどから、これを収益獲得のために保有する一般の資産と同様に企業の貸借対照表に計上することには問題があり、かえって、財務諸表の利用者に誤解を与えるおそれがあると考えられる。（以下省略）

したがって、上記＿＿部分を解答することとなる。

テーマ14　資産除去債務基準

第39問　資産除去債務基準①

重要度　A

「資産除去債務に関する会計基準」（以下、「基準」という。）に関する以下の各問に答えなさい。

1　資産除去債務とはどのようなものか説明しなさい。

2　「基準」における、資産除去債務の負債性について説明しなさい。

3　「基準」における、資産除去債務に対応する除去費用を資産として計上した上で費用配分する考え方について説明しなさい。

<解答欄>

1

2

3

解　答

1

資産除去債務とは、有形固定資産の取得、建設、開発又は通常の使用 2 によって生じ、当該有形固定資産の除去 2 に関して法令又は契約で要求される法律上の義務及びそれに準ずるもの 4 をいう。

2

資産除去債務は、有形固定資産の除去に関して法令又は契約で要求される法律上の義務及びそれに準ずるもの 2 であり、当該有形固定資産の除去サービスに係る支払いが不可避的に生じ、実質的に支払義務を負うことになる 4 ことから、負債性が認められる 2。

3

有形固定資産の取得に付随して生じる除去費用を当該資産の取得原価に含めることは、当該資産への投資について回収すべき額を引き上げることを意味 3 する。すなわち、有形固定資産の除去時に不可避的に生じる支出額を付随費用と同様に取得原価に加えた上で費用配分を行い 2、さらに、資産効率の観点からも有用と考えられる情報を提供するもの 4 である。

【配　点】

1　8点　　2　8点　　3　9点　　合計25点

解答への道

1　資産除去債務とは

資産除去債務とは、有形固定資産の取得、建設、開発又は通常の使用によって生じ、当該有形固定資産の除去に関して法令又は契約で要求される法律上の義務及びそれに準ずるものをいう。具体的には、アスベストや土壌汚染に対する浄化処理等に係る費用や不動産賃貸借契約における原状回復費等が該当する。

2　資産除去債務の負債性

有形固定資産の除去などの将来に履行される用役について、その支払いも将来において履行される場合、当該債務は通常、双務未履行であることから、認識されることはない。

しかし、法律上の義務に基づく場合など、資産除去債務に該当する場合には、有形固定資産の除去サービスに係る支払いが不可避的に生じることに変わりはないため、たとえその支払いが後日であっても、債務として負担している金額が合理的に見積られることを条件に、資産除去債務の全額を負債として計上し、同額を有形固定資産の取得原価に反映させる処理（資産負債の両建処理）を行うことが考えられる。

3　資産除去債務に対応する除去費用の資産計上と費用配分の考え方

資産除去債務に対応する除去費用は、資産除去債務を負債として計上した時に、当該負債の計上額と同額を、関連する有形固定資産の帳簿価額に加える。

資産計上された資産除去債務に対応する除去費用は、減価償却を通じて、当該有形固定資産の残存耐用年数にわたり、各期に費用配分する。

【資産除去債務に関する会計基準　41～42】

41. 資産除去債務を負債として計上する際、当該除去債務に対応する除去費用をどのように会計処理するかという論点がある。本会計基準では、債務として負担している金額を負債計上し、同額を有形固定資産の取得原価に反映させる処理を行うこととした。このような会計処理（資産負債の両建処理）は、有形固定資産の取得に付随して生じる除去費用の未払の債務を負債として計上すると同時に、対応する除去費用を当該有形固定資産の取得原価に含めることにより、当該資産への投資について回収すべき額を引き上げることを意味する。すなわち、有形固定資産の除去時に不可避的に生じる支出額を付随費用と同様に取得原価に加えた上で費用配分を行い、さらに、資産効率の観点からも有用と考えられる情報を提供するものである。

42. なお、資産除去債務に対応する除去費用を、当該資産除去債務の負債計上額と同額の資産として計上する方法として、当該除去費用の資産計上額が有形固定資産の稼動等にとって必要な除去サービスの享受等に関する何らかの権利に相当するという考え方や、将来提供される除去サービスの前払い（長期前払費用）としての性格を有するという考え方から、資産除去債務に関連する有形固定資産とは区別して把握し、別の資産として計上する方法も考えられた。

しかし、当該除去費用は、法律上の権利ではなく財産的価値もないこと、また、独立して収益獲得に貢献するものではないことから、本会計基準では、別の資産として計上する方法は採用していない。当該除去費用は、有形固定資産の稼動にとって不可欠なものであるため、有形固定資産の取得に関する付随費用と同様に処理することとした。

(MEMO)

第40問　資産除去債務基準②

重要度	A

資産除去債務の会計処理については、引当金処理と資産負債の両建処理の２つの方法が考えられる。これに関して、以下の各問に答えなさい。

1　以下の文章は「資産除去債務に関する会計基準」から一部抜粋したものである。空欄①から③に入る適切な用語を答えなさい。

> 32. 有形固定資産の耐用年数到来時に解体、撤去、処分等のために費用を要する場合、有形固定資産の除去に係る用役（除去サービス）の費消を、当該有形固定資産の使用に応じて各期間に［①］し、それに対応する金額を負債として認識する考え方がある。
>
> …
>
> しかし、［②］に基づく場合など、資産除去債務に該当する場合には、有形固定資産の除去サービスに係る支払いが不可避的に生じることに変わりはないため、たとえその支払いが後日であっても、債務として負担している金額が合理的に見積られることを条件に、資産除去債務の［③］を負債として計上し、同額を有形固定資産の取得原価に反映させる処理（資産負債の両建処理）を行うことが考えられる。

2　引当金処理の問題点について説明しなさい。

3　資産負債の両建処理が採用される理由について説明しなさい。

＜解答欄＞

1

①		②		③	

2

3

テーマ14　資産除去債務基準

解　答

1

①	費用配分	②	法律上の義務	③	全額

2

引当金処理の場合には、有形固定資産の除去に必要な金額が貸借対照表に計上されない[4]ことから、資産除去債務の負債計上が不十分[4]となる。

3

資産負債の両建処理は、資産除去債務の全額を負債として計上[2]するとともに、これに対応する除去費用を有形固定資産の取得原価に含める[1]ことで、当該除去費用が当該有形固定資産の使用に応じて各期間に費用配分[2]されるため、資産負債の両建処理は引当金処理を包摂するもの[3]といえる。

【配　点】

1　各3点　　2　8点　　3　8点　　合計25点

解答への道

【資産除去債務に関する会計基準　32～34】

32．有形固定資産の耐用年数到来時に解体、撤去、処分等のために費用を要する場合、有形固定資産の除去に係る用役（除去サービス）の費消を、当該有形固定資産の使用に応じて各期間に **費用配分**① し、それに対応する金額を負債として認識する考え方がある。このような考え方に基づく会計処理（引当金処理）は、資産の保守のような用役を費消する取引についての従来の会計処理から考えた場合に採用される処理である。こうした考え方に従うならば、有形固定資産の除去などの将来に履行される用役について、その支払いも将来において履行される場合、当該債務は通常、双務未履行であることから、認識されることはない。

しかし、**法律上の義務**② に基づく場合など、資産除去債務に該当する場合には、有形固定資産の除去サービスに係る支払いが不可避的に生じることに変わりはないため、たとえその支払いが後日であっても、債務として負担している金額が合理的に見積られることを条件に、資産除去債務の **全額**③ を負債として計上し、同額を有形固定資産の取得原価に反映させる処理（資産負債の両建処理）を行うことが考えられる。

33．引当金処理に関しては、有形固定資産に対応する除去費用が、当該有形固定資産の使用に応じて各期に適切な形で費用配分されるという点では、資産負債の両建処理と同様であり、また、資産負債の両建処理の場合に計上される借方項目が資産としての性格を有しているのかどうかという指摘も考慮すると、引当金処理を採用した上で、資産除去債務の金額等を注記情報として開示することが適切ではないかという意見もある。

34．しかしながら、引当金処理の場合には、有形固定資産の除去に必要な金額が貸借対照表に計上されないことから、資産除去債務の負債計上が不十分であるという意見がある。また、資産負債の両建処理は、有形固定資産の取得等に付随して不可避的に生じる除去サービスの債務を負債として計上するとともに、対応する除去費用をその取得原価に含めることで、当該有形固定資産への投資について回収すべき額を引き上げることを意味する。この結果、有形固定資産に対応する除去費用が、減価償却を通じて、当該有形固定資産の使用に応じて各期に費用配分されるため、資産負債の両建処理は引当金処理を包摂するものといえる。さらに、このような考え方に基づく処理は、国際的な会計基準とのコンバージェンスにも資するものであるため、本会計基準では、資産負債の両建処理を求めることとした。

上記規定を踏まえ、2は下線部＿＿＿＿、3は下線部～～～～を中心に解答することとなる。

テーマ15　税効果基準

第41問　税効果基準

重要度	A

「税効果会計に係る会計基準」（以下、「基準」という。）に関する以下の各問に答えなさい。

1　税効果会計が必要とされる理由を端的に２つ述べなさい。

2　「基準」における法人税等の性格について説明しなさい。

3　税効果会計の処理方法として、「基準」が採用している方法の名称をあげなさい。また、その内容を説明しなさい。

4　上記３のもと計上される繰延税金資産の資産性について説明しなさい。

5　繰延税金資産が貸借対照表に計上されるためには、回収可能性の判断が必要となる。そこで、回収可能性の判断基準となる３つの要素を示しなさい。

6　税効果会計の処理方法に関する以下の記述のうち、適切なものを１つ選択し、その記号を答案用紙に記入しなさい。

ア　繰延法及び資産負債法において対象となる差異は、それぞれ一時差異及び期間差異である。

イ　一時差異と期間差異の範囲はほぼ一致するが、有価証券等の資産又は負債の評価替えにより直接純資産の部に計上された評価差額は期間差異ではあるが一時差異ではない。なお、一時差異に該当する項目は、すべて期間差異に含まれる。

ウ　繰延法及び資産負債法において重視される期間は、それぞれ差異の解消年度及び差異の発生年度である。

エ　繰延法及び資産負債法において適用される税率は、それぞれ現行の税率（発生年度における適用税率）及び将来施行されるべき税率（解消年度における予測税率）である。

<解答欄>

1

2

3

名称	
内容	

4

5

6

解　答

1

税効果会計は、法人税等の額と税引前当期純利益とを期間的に対応させるため2、また、将来の法人税等の支払額に対する影響額を表示するため2に必要となるのである。

2

「基準」では、法人税等を控除する前の当期純利益と法人税等を合理的に対応させること1を目的としていることから、法人税の性格を費用2として捉えている。

3

名称	資産負債法
内容	資産負債法とは、調整すべき差異を会計上の資産又は負債と、税務上の資産又は負債の差額から把握2し、これに将来施行されるべき税率（予測税率）を適用2して算定した額を調整すべき税効果額として処理する方法2である。

4

資産負債法のもと計上される繰延税金資産は、将来の法人税等の支払額を減額する効果を有し2、一般的には法人税等の前払額1に相当するため、その資産性が認められる1。

5

収益力に基づく一時差異等加減算前課税所得
タックス・プランニングに基づく一時差異等加減算前課税所得
将来加算一時差異

6

エ

【配　点】

1　4点　　2　3点　　3　名称　3点　内容　6点　　4　4点　　5　各1点

6　2点　　合計25点

解答への道

1　税効果会計とは

税効果会計とは、「実際計上額としての法人税等の額」から「会計上あるべき法人税等の額」へ調整する手続である。

この税効果会計は、法人税等の額を税引前当期純利益と期間的に対応させるため、また、将来の法人税等の支払額に対する影響を表示するために必要となるのである。

税効果会計の必要性について「税効果会計に係る会計基準の設定について」では次のように述べている。

> 法人税等の課税所得の計算に当たっては企業会計上の利益の額が基礎となるが、企業会計と課税所得計算とはその目的を異にするため、収益又は費用（益金又は損金）の認識時点や、資産又は負債の額に相違が見られるのが一般的である。
>
> このため、税効果会計を適用しない場合には、課税所得を基礎とした法人税等の額が費用として計上され、法人税等を控除する前の企業会計上の利益と課税所得とに差異があるときは、法人税等の額が法人税等を控除する前の当期純利益と期間的に対応せず、また、将来の法人税等の支払額に対する影響が表示されないことになる。
>
> このような観点から、『財務諸表』の作成上、税効果会計を全面的に適用することが必要と考える。

2　法人税等の性格

法人税等の会計的性格については、①費用説と②利益処分説がある。「税効果会計に係る会計基準」では、財務諸表による投資者の意思決定のための有用な情報の提供という観点から、法人税等は、業績評価の指標として利益を算定する過程における控除項目、つまり費用として取り扱われるのである。それゆえ、法人税等は、費用として認識及び期間配分が行われることとなる。

3　資産負債法

資産負債法は、「将来支払うことが必要な税額」あるいは「将来支払うべき税額の前払分としての金額」を負債又は資産として計上するという考え方に立っている。いずれの場合も税金の支払いは将来であることから、決算時の税率ではなく、将来の支払時の税率すなわち予測税率が用いられるのが本来の姿である（現実には、税率の予測は困難であるため、現行税率を便宜上用いている)。したがって、税率が変更される場合には、修正計算が必要となる。

資産負債法は、繰延法と比べて各期末の繰延税金資産及び繰延税金負債の額がより正確に示されることとなる。

4 繰延税金資産の資産性

繰延税金資産は、それに起因する差異が解消される将来の期間の税金支払額を減額することから、将来企業にキャッシュをもたらす能力(キャッシュアウト・フローを減額する能力)があるもの、すなわち経済的資源を有すると考えられることから、資産性が認められる。

5 繰延税金資産の回収可能性に関する判断基準

繰延税金資産の回収可能性は、次の(1)から(3)に基づいて、将来の税金負担額を軽減する効果を有するかどうかを判断する。

(1) 収益力に基づく一時差異等加減算前課税所得

将来減算一時差異の解消年度を含む期間に、一時差異等加減算前課税所得が生じる可能性が高いと見込まれること

(2) タックス・プランニングに基づく一時差異等加減算前課税所得

将来減算一時差異の解消年度を含む期間に、含み益のある固定資産又は有価証券を売却する等のタックス・プランニングに基づく一時差異等加減算前課税所得が生じる可能性が高いと見込まれること

(3) 将来加算一時差異

将来減算一時差異の解消年度を含む期間に、将来加算一時差異が解消されると見込まれること

6 正誤問題

ア ×

繰延法及び資産負債法において対象となる差異は、それぞれ期間差異及び一時差異である。

イ ×

一時差異と期間差異の範囲はほぼ一致するが、有価証券等の資産又は負債の評価替えにより直接純資産の部に計上された評価差額は一時差異ではあるが期間差異ではない。なお、期間差異に該当する項目は、すべて一時差異に含まれる。

ウ ×

繰延法及び資産負債法において重視される期間は、それぞれ差異の発生年度及び差異の

解消年度である。

エ　○

テーマ16　企業結合基準

第42問　企業結合基準

重要度	A

「企業結合に関する会計基準」(以下、「基準」という。)に関する以下の各問に答えなさい。

1　以下の文章は「基準」から一部抜粋したものである。空欄①に入る適切な用語を答えなさい。

> 「企業結合」とは、ある企業又はある企業を構成する事業と他の企業又は他の企業を構成する事業とが１つの［　①　］に統合されることをいう。

2　企業結合の経済的実態には、「取得」と「持分の結合」の２つがあると考えられる。それぞれの経済的実態について説明しなさい。

3　「取得」の場合の会計処理に関して、次の(1)～(4)に答えなさい。

(1) 採用する会計処理の名称

(2) 採用する会計処理の内容

(3) 上記(1)を採用する理由

(4)「基準」では、(1)の会計処理の結果として生じたのれんについて規則的に償却すべきこととし、その理由を複数あげている。そのうちの１つを説明しなさい。ただし、解答にあたっては必ず「自己創設のれん」の用語を用いること。

＜解答欄＞

1

①	

2

取得	
持分の結合	

3

(1)	
(2)	
(3)	
(4)	

解　答

1

①	報告単位

2

取得	取得とは、ある企業1が他の企業又は企業を構成する事業1に対する支配を獲得すること2をいう。
持分の結合	持分の結合とは、いずれの企業（又は事業）の株主（又は持分所有者）も他の企業（又は事業）を支配したとは認められず2、結合後企業のリスクや便益を引き続き相互に共有することを達成するため1、それぞれの事業のすべて又は事実上のすべてを統合して一つの報告単位となること1をいう。

3

(1)	パーチェス法
(2)	パーチェス法とは、被結合企業から受け入れる資産及び負債の取得原価2を、対価として交付する現金及び株式等の時価（公正価値）2とする方法をいう。
(3)	企業結合の多くは、実質的にはいずれかの結合当事企業による新規の投資1と同じであり、交付する現金及び株式等の投資額を取得価額として他の結合当事企業から受入れる資産及び負債を評価すること1が現行の一般的な会計処理と整合するから2である。
(4)	企業結合により生じたのれんは時間の経過とともに自己創設のれんに入れ替わる可能性がある2ため、企業結合により計上したのれんの非償却による自己創設のれんの実質的な資産計上を防ぐことができるため2である。

【配　点】

1　3点　　2　取得　4点　持分の結合　4点　　3(1)　2点　(2)　4点　(3)　4点　(4)　4点　　合計25点

解答への道

1　企業結合とは

企業結合とは、具体的には、現金を対価とした株式の取得による子会社化、合併、株式交換、株式移転、会社分割などにより、1つの報告単位に統合されることをいい、連結財務諸表原則にいう他の会社の支配の獲得も、他の会社が企業集団に統合されることになるため、企業結合に含まれることとなる。

従来は、企業結合とは、企業集団と外部の取引であると考えられてきたが、「企業結合に関する会計基準」では、企業集団内の取引も、定義を充たすものは企業結合に含めるという考え方がとられている。

また、報告単位とは、財務諸表（個別財務諸表又は連結財務諸表）の作成の単位であり、具体的には個々の企業又は企業集団を指すこととなる。

2　「取得」の会計処理

「取得」と判定された企業結合の会計処理は、各結合当事企業のうち取得企業となる企業を決定したうえで、パーチェス法により会計処理を行うこととなる。

なお、パーチェス法とは、取得企業が被結合企業から受け入れる資産及び負債の取得原価を、対価として交付する現金や株式等の時価の合計額とし、被結合企業の資産・負債については時価で評価する方法である。

3　パーチェス法により会計処理する理由

取得と判定された企業結合の会計処理であるパーチェス法は、企業結合以外の一般的な交換取引の際に適用されている一般的な考え方に基づいて適用されている。

一般的な交換取引においては、その交換のために支払った対価となる財の時価は、通常、取得した資産の時価と等価であると考えられており、取得原価は対価の形態にかかわらず、支払対価となる財の時価で算定される。すなわち、交換のための支払対価が現金の場合には現金支出額で測定され、支払対価が現金以外の資産の引渡し、負債の引受け又は株式の交付の場合には支払対価となる財の時価と取得した資産の時価のうち、より高い信頼性をもって測定可能な時価で測定されるのが一般的である。

取得と判定された企業結合である複数の資産及び負債を一括して取得又は引き受けた場合にも、一般的な交換取引の場合と同様に、まず支払対価総額を算定し、次にその支払対価総額を、一括して取得又は引き受けた個々の資産及び負債の時価を基礎として、それらの個々の資産又は負債に対して配分される。その際、取得と判定された企業結合の特徴の１つとして、取得原価としての支払対価総額と、被結合企業から取得した資産及び負債に配分された純額との間に差額が生ずる場合があり、この差額がのれん又は負ののれんである。

4　のれんについて規則的な償却を行う理由

基準作成の過程では、理論的に選択可能なのれんの処理方法のうち、特に米国財務会計基準審議会（FASB）により採用されている「規則的な償却を行わず、のれんの価値が損なわれたときに減損処理を行う」方法と、一定期間内に「規則的な償却を行う」方法の選択について検討が加えられた。その中で、規則的な償却を行う方法のメリットとして、以下の点をあげている。

(1) 企業結合の成果たる収益と、その対価の一部を構成する投資消去差額の償却という費用の対応が可能になる。

(2) のれんは投資原価の一部であることに鑑みれば、のれんを規則的に償却する方法は、投資原価を超えて回収された超過額を企業にとっての利益とみる考え方とも首尾一貫している。

(3)「規則的な償却を行わず、のれんの価値が損なわれたときに減損処理を行う」方法の問題点である自己創設のれんの計上を避けることができる。

このうち(3)は、次の理由による。仮に、のれんの構成要素を超過収益力とすると、競争の進展によって通常はその価値が減価するが、規則的な償却を行わないことは、競争の進展に伴うのれんの価値の減価の過程を無視することになる。また、総額としての超過収益力が維持されている場合においても、それは企業結合後の追加的な投資や企業の追加的努力によって補完されているのであり、取得時の超過収益力が維持されているわけではない。

したがって、総額としての超過収益力が維持されていることを理由としてのれんを償却しないことは、取得時に認識した超過収益力の減価部分と同額の追加投資による自己創設のれんを計上したことと実質的に等しくなる。

(MEMO)

テーマ17　事業分離基準

第43問　事業分離基準

重要度　A

「事業分離等に関する会計基準」に関する以下の各問に答えなさい。

1　事業分離とはどのようなものか説明しなさい。

2　次の(1)及び(2)に掲げる場合の分離元企業の会計処理について説明しなさい。

(1) 移転した事業に関する投資が清算されたとみる場合

(2) 移転した事業に関する投資がそのまま継続しているとみる場合

3　分離元企業の会計処理に関する以下の記述のうち、適切なものを１つ選択し、その記号を答案用紙に記入しなさい。

ア　現金など、被結合企業の株式と明らかに異なる資産を対価として受け取る場合には、投資が清算されたとみなされる。

イ　被結合企業が子会社や関連会社の場合において、当該被結合企業の株主が、子会社株式や関連会社株式となる結合企業の株式のみを対価として受け取る場合には、投資が清算されたとみなされる。

＜解答欄＞

1

2

(1)	
(2)	

3

解　答

1

事業分離とは、ある企業を構成する事業[1]を他の企業に移転すること[2]をいう。

2

(1)	分離元企業は、事業分離日に、その事業を分離先企業に移転したことにより受け取った対価となる財の時価[3]と、移転した事業に係る株主資本相当額[3]との差額を移転損益として認識[3]するとともに、改めて当該受取対価の時価にて投資を行ったものとする[1]。
(2)	分離元企業は、事業分離日に、移転損益を認識せず[5]、その事業を分離先企業に移転したことにより受け取る資産の取得原価は、移転した事業に係る株主資本相当額[5]に基づいて算定するものとする。

3

ア

【配　点】

1　3点　　2 (1)　10点　(2)　10点　　3　2点　　合計25点

解答への道

1　事業分離とは

事業分離とは、ある企業を構成する事業を他の企業に移転することをいう。

事業分離は、会社分割や事業譲渡、現物出資等の形式をとり、分離元企業が、その事業を分離先企業に移転し対価を受け取る。分離元企業から移転された事業と分離先企業（ただし、新設される企業を除く。）とが１つの報告単位に統合されることになる場合の事業分離は、企業結合でもある。

2　分離元企業の会計処理

(1) 基本的な考え方

「事業分離等に関する会計基準」では、投資の継続・清算という概念により、実現損益を認識すべきか否かという見地から、分離元企業の会計処理を考察している。つまり、一般的な売却や交換に伴う損益認識と同様に、分離した事業に関する投資が継続しているとみるか、清算されているとみるかによって、分離元企業において移転損益が認識されない場合と認識される場合がある。

(2) 移転した事業に関する投資が清算されたとみる場合

受取対価が現金等の財産（移転した事業と明らかに異なる資産）のみであり、分離先企業が子会社や関連会社以外の場合には、投資が清算されたものとみなされ、移転損益（原則として特別損益）が認識される。

(3) 移転した事業に関する投資がそのまま継続しているとみる場合

分離元企業が子会社等の株式のみを対価として受け取る場合には、当該株式を通じて、移転した事業に関する事業投資を引き続き行っていると考えられることから、当該事業に関する投資が継続しているものとみなされ、移転損益を認識しない。

3　正誤問題

ア　○

イ　×

被結合企業が子会社や関連会社の場合において、当該被結合企業の株主が、子会社株式や関連会社株式となる結合企業の株式のみを対価として受け取る場合には、当該引き換えられた結合企業の株式を通じて、被結合企業（子会社や関連会社）に関する事業投資を引き続き行っていると考えられることから、当該被結合企業に関する投資が継続しているとみなされる。

テーマ18　外貨換算基準

第44問　外貨換算基準

重要度	C

1　決算時における外貨建資産負債等の換算方法には、決算日レート法、流動・非流動法、貨幣・非貨幣法、テンポラル法の４つの方法がある。

次に掲げる換算方法の名称を答案用紙に記入しなさい。

(1) 流動項目を決算時の為替相場によって、非流動項目を取得時又は発生時の為替相場によって換算する方法

(2) 外貨表示財務諸表項目のうち、取得時又は発生時の外貨で測定されている項目については取得時又は発生時の為替相場で換算し、決算時の外貨で測定されている項目については決算時の為替相場で換算する方法

(3) 貨幣項目を決算時の為替相場によって、非貨幣項目を取得時又は発生時の為替相場によって換算する方法

(4) すべての外貨表示財務諸表項目を、決算時の為替相場により換算する方法

2　外貨建取引の処理方法には、一取引基準と二取引基準の２つがあるが、「外貨建取引等会計処理基準」で採用されている方法の名称を答案用紙に記入しなさい。また、当該方法が採用される理由を説明しなさい。なお、解答にあたっては実務上の問題点について触れる必要はない。

3　為替予約等の処理方法には、独立処理と振当処理の２つがあるが、「外貨建取引等会計処理基準」における例外的方法の名称を答案用紙に記入しなさい。また、例外的方法の内容を説明しなさい。

＜解答欄＞

1

(1)		(2)	
(3)		(4)	

2

名称

理由

3

名称

内容

解　答

1	(1)	流動・非流動法	(2)	テンポラル法
	(3)	貨幣・非貨幣法	(4)	決算日レート法

2 名称　二取引基準

理由

為替相場の変動によって生じる損益は、経営者が為替相場の変動に対してどのように対処したかを示すものである5から、当該損益は財務損益として処理すべきであるため5である。

3 名称　振当処理

内容

振当処理とは、為替予約等により確定する決済時における円貨額により外貨建取引等を換算4し、直物為替相場との差額を期間配分する方法5をいう。

【配　点】

1　各1点　　2　名称　1点　　理由　10点　　3　名称　1点　　内容　9点

合計25点

解答への道

1　決算時における外貨建資産負債等の円貨額への換算方法

決算時における外貨建資産負債等の円貨額への換算方法には単一レート法と複数レート法の2つに大別され、単一レート法には決算日レート法があり、複数レート法には、流動・非流動法、貨幣・非貨幣法、テンポラル法がある。

(1) 単一レート法

① 決算日レート法

この方法は、換算前後の財務比率は等しく、外国で稼得される利益は邦貨での決算日における相当額を示す。また、すべての項目に決算時の為替相場を適用する点で、実務的にも簡便である。

(2) 複数レート法

① 流動・非流動法

この方法は、流動項目に限っては決算時の為替相場により換算替したことから生ずる換算差額という未実現損益が生じるが、これらについては、相対的に短期のうちに収支を伴って解消したり収益や費用に転化することから、そこに生じる未実現損益もほぼ実現に近い状態に達していると考えられる。

② 貨幣・非貨幣法

この方法は、国内での円貨取引の処理と首尾一貫するものである。すなわち、国内取引から生じた売掛金や借入金などの貨幣項目の額は、回収又は弁済すべき現在の貨幣額を表しており、棚卸資産や有形固定資産などの非貨幣項目の額は、過去の取得時に支出した貨幣額を表すように処理されている。したがって、外貨建の貨幣項目を決算時の為替相場で換算して、決算日現在の日本円による回収額や弁済額を明らかにし、非貨幣項目を取得時又は発生時の為替相場で換算して、取得時又は発生時の日本円で測定した支出額を表示することは、国内取引の処理と合致した方法である。

③ テンポラル法

この方法は、貨幣・非貨幣法を発展させたものとして位置付けられ、基本的には、貨幣・非貨幣法と同様の換算を行うが、外貨による時価が付された非貨幣項目がテンポラル法では決算時の為替相場で換算される点が異なってくる。これは、外貨ですでに測定が完了している数値の属性を変更してはならないという換算の本質から判断して、合理的であると考えるものである。

2 一取引基準・二取引基準

(1) 一取引基準・二取引基準

一取引基準とは、外貨建取引とその取引に係る代金決済取引とを連続した一つの取引とみなして会計処理を行う基準をいい、二取引基準とは、外貨建取引とその取引に係る代金決済取引とを別個の取引とみなして会計処理を行う基準をいう。

(2) 「外貨基準」における取扱い

「外貨基準」では、二取引基準を採用しているが、その理由として主に２つが挙げられる。

① 変動相場制のもとでは為替相場の変動によって生じる損益は、経営者が為替相場の変動に対してどのように対処したかを示す為替対策の巧拙を示すものであるから、当該損益は財務損益として処理すべきである。

② 一取引基準によれば、決済終了まで費用・収益及び資産・負債の円貨額が確定しないため、決済日の前に決算日が到来した場合に会計処理が煩雑となる。これに対し、二取引基準によれば、これらの円貨額は外貨建取引の時点で確定するため、そのような問題は生じない。

3　為替予約等の会計処理方法

(1)　独立処理

独立処理とは、為替予約等を外貨建取引と独立した取引として会計処理する方法をいう。独立処理は、「金融基準」に準拠したものであるといえる。

(2)　振当処理

振当処理とは、為替予約等により確定する決済時における円貨額により外貨建取引等を換算し、直物為替相場との差額を期間配分する方法をいう。振当処理の採用は、会計方針として決定する必要があり、ヘッジ会計の要件を満たす限り継続して適用しなければならない。

(3)　「外貨基準」における取扱い

「外貨基準」では、原則として独立処理を採用することとしているが、ヘッジ会計の要件を満たす場合には、当分の間、振当処理によることも認めている。

その理由は、「外貨基準意見書」において以下のように示されている。

「現行基準では、為替予約、通貨先物、通貨スワップ及び通貨オプション（以下「為替予約等」という。）が付されている外貨建金銭債権債務の換算等においてヘッジの効果を反映する処理が部分的に導入されているが、ヘッジ会計に関する基準そのものは将来の検討に委ねられていた。今般、「金融基準」においてヘッジ会計の基準が整備されたことから、外貨建取引についても、原則的には「金融基準」におけるヘッジ会計が適用されることになる。特にそこでは、キャッシュ・フローを固定させて満期までの成果を確定する「キャッシュ・フロー・ヘッジ」の概念のもとで、時価評価損益を繰り延べてその成果を期間配分する「繰延ヘッジ」の会計処理が認められている。そのため、外貨建取引についてもキャッシュ・フロー・ヘッジと共通する考え方に基づき、為替予約等によって円貨でのキャッシュ・フローが固定されているときには、その円貨額により金銭債権債務を換算し、直物為替相場との差額を期間配分する方法（以下「振当処理」という。）が適用できることになる。このようなことから、今般の改訂では、「金融基準」を踏まえ、為替予約等の振当処理の方法を統一することとした。なお、「金融基準」においては、デリバティブ取引により生じる正味の債権及び債務は金融資産又は金融負債として認識することとなるが、振当処理を適用した場合には、金銭債権債務に振り当てた為替予約等は個別には認識されないこととなる。ただし、予定取引をヘッジ対象としている場合には、為替予約等の評価差額は貸借対照表に計上して繰り延べることとなる。」

テーマ19 純資産表示基準

第45問 純資産表示基準①

重要度 A

「貸借対照表の純資産の部の表示に関する会計基準」（以下、「基準」という。）に関して以下の各問に答えなさい。

1　純資産の定義を説明しなさい。

2　「基準」では、純資産の部を株主資本と株主資本以外の各項目に区分することを要求している。そこで(1)株主資本の定義を説明し、(2)「基準」が純資産の部を株主資本と株主資本以外の各項目に区分する理由を説明しなさい。

3　株主資本以外の項目に関する以下の記述のうち、適切なものを1つ選択し、その記号を答案用紙に記入しなさい。

ア　評価・換算差額等（その他の包括利益累計額）は、資産性又は負債性を有するものでないため、純資産の部に記載される。

イ　新株予約権は、報告主体の所有者である株主との直接的な取引によるものであり、株主に帰属するものであるため、株主資本の項目とされる。

＜解答欄＞

1

2

(1)	
(2)	

3

解　答

1

純資産とは、資産と負債の差額[5]をいう。

2

(1)	株主資本とは、純資産[2]のうち報告主体の所有者である株主に帰属する部分[4]をいう。
(2)	財務報告における情報開示の中で、投資の成果を表す当期純利益とこれを生み出す株主資本との関係を示すことが重要である[6]ため、株主資本と株主資本以外の各項目を区別するのである。 この結果、損益計算書における当期純利益の額と貸借対照表における株主資本の資本取引を除く当期変動額が一致する[6]こととなる。

3

ア

【配　点】

1　5点　　2 (1)　6点　(2)　12点　　3　2点　　合計25点

解答への道

1　貸借対照表を資産の部、負債の部及び純資産の部に区分する理由

近年、その他有価証券評価差額金や非支配株主持分などの貸方項目に関して、負債の部に計上するのか、資本の部に計上するのか議論が分かれる項目が存在している。

「貸借対照表の純資産の部の表示に関する会計基準」（以下、「基準」という）においては、財務会計の概念フレームワークをベースとして、貸方項目に関しては、資本が抽象概念であることから、弁済義務のあるものは負債の部に計上するものとして、まず負債概念を確定し、負債でないものを純資産の部に計上するものとしている。したがって、その他有価証券評価差額金や非支配株主持分などは弁済義務がないことから、負債の部には計上せずに、純資産の部に区分して計上することとなる。

貸借対照表について、まず、資産の部と負債の部に記載すべき項目を積極的に定義して、該当しない項目を純資産の部に記載する理由は、負債の部に記載すべき項目を積極的に定義することにより、報告主体の支払能力などを適切に示すことができ、財政状態をより適切に

表示することが可能となるためである。

このことに関して「基準」では、以下のように述べている。

18. 平成17年会計基準の公表前まで、貸借対照表上で区分されてきた資産、負債及び資本の定義は必ずしも明示されてはいないが、そこでいう資本については、一般に、財務諸表を報告する主体の所有者（株式会社の場合には株主）に帰属するものと理解されており、また、連結貸借対照表における資本に関しては、連結財務諸表を親会社の財務諸表の延長線上に位置づけて、親会社の株主に帰属するもののみを反映させることとされてきた。

19. また、資産は、一般に、過去の取引又は事象の結果として、財務諸表を報告する主体が支配している経済的資源、負債は、一般に、過去の取引又は事象の結果として、報告主体の資産やサービス等の経済的資源を放棄したり引渡したりする義務という特徴をそれぞれ有すると考えられている。このような理解を踏まえて、返済義務のあるものは負債の部に記載するが、非支配株主持分や為替換算調整勘定のように返済義務のないものは負債の部に記載しないこととする取扱いが、連結財務諸表を中心に行われてきた。

20. このように、資本は報告主体の所有者に帰属するもの、負債は返済義務のあるものとそれぞれ明確にした上で貸借対照表の貸方項目を区分する場合、資本や負債に該当しない項目が生ずることがある。この場合には、独立した中間的な区分を設けることが考えられるが、中間区分自体の性格や中間区分と損益計算との関係などを巡る問題が指摘されている。また、国際的な会計基準においては、中間区分を解消する動きがみられる。

21. このような状況に鑑み、平成17年会計基準では、まず、貸借対照表上、資産性又は負債性をもつものを資産の部又は負債の部に記載することとし、それらに該当しないものは資産と負債との差額として「純資産の部」に記載することとした（第4項参照）。この結果、報告主体の支払能力などの財政状態をより適切に表示することが可能となるものと考えられる。（以下省略）

2　純資産の部を株主資本と株主資本以外の各項目に区分する理由

投資の成果を表す当期純利益の情報は企業価値を評価する際の基礎となる将来キャッシュ・フローの予測などに広く用いられるため、財務報告における情報開示の中で、当期純利益とこれを生み出す株主資本は重視されることとなる。したがって、損益計算書における当期純利益の額と貸借対照表における株主資本の資本取引を除く当期変動額を一致させるべく、純資産の部を株主資本と株主資本以外の項目に区分するのである。

上記の内容を評価・換算差額等を例に考えていく。日本においては、個別財務諸表上は包括利益の開示が求められておらず、また、評価・換算差額等が損益計算書を経由されずに、純資産の部に直入されるため、このままではクリーン・サープラス関係を崩すことになる。したがって、損益計算書における当期純利益の額と貸借対照表における株主資本の資本取引を除く当期変動額を一致させ、いわば変形型の連携をとるべく純資産の部を株主資本と株主資本以外の項目(ここでは、評価・換算差額等)に区分するのである。ここに連携とは、貸借対照表の構成要素と損益計算書の構成要素が複式簿記により相互に有機的な関連性をもち、その結果クリーン・サープラス関係が保たれるようにすることをいう。

このことに関して「基準」では、以下のように述べている。

29. 財務報告における情報開示の中で、特に重要なのは、投資の成果を表す利益の情報であると考えられている。報告主体の所有者に帰属する利益は、基本的に過去の成果であるが、企業価値を評価する際の基礎となる将来キャッシュ・フローの予測やその改訂に広く用いられている。当該情報の主要な利用者であり受益者であるのは、報告主体の企業価値に関心を持つ当該報告主体の現在及び将来の所有者(株主)であると考えられるため、当期純利益とこれを生み出す株主資本は重視されることとなる。

30. 平成17年会計基準では、貸借対照表上、これまでの資本の部を資産と負債との差額を示す純資産の部に代えたため、資産や負債に該当せず株主資本にも該当しないものも純資産の部に記載されることとなった。ただし、前項で示したように、株主資本を他の純資産に属する項目から区分することが適当であると考えられるため、純資産を株主資本と株主資本以外の各項目に区分することとした。この結果、損益計算書における当期純利益の額と貸借対照表における株主資本の資本取引を除く当期変動額は一致することとなる。

33. 平成17年会計基準では、評価・換算差額等は、払込資本ではなく、かつ、未だ当期純利益に含められていないことから、株主資本とは区別し、株主資本以外の項目とした(第7項及び第8項参照)。

平成17年会計基準の検討過程では、その他有価証券評価差額金や繰延ヘッジ損益、為替換算調整勘定などは、国際的な会計基準において、「その他包括利益累積額」として区分されているため、国際的な調和を図る観点などから、このような表記を用いてはどうかという考え方も示されたが、包括利益が開示されていない中で「その他包括利益累積額」という表記は適当ではないため、その主な内容を示すよう「評価・換算差額等」として表記することとした。なお、当委員会は平成22年6月に企業会計基準第25号「包括利益の表示に関する会計基準」(以下「企業会計基準第25号」という。)を公表し、平成24年改正の企業会計基準第25号により、当面の間、同会計基準を個別財務諸表には適用しないこととしたため、個別財務諸表上は引き続き「評価・換算差額等」として表記することとしている。

また、平成17年会計基準の公開草案に対するコメントの中には、評価・換算差額等の各項目は株主資本に含める方が妥当ではないかという意見があった。これは、その他有価証券評価差額金や為替換算調整勘定などが、資本の部に直接計上されていたことなどの理由によるものと考えられる。しかしながら、一般的に、資本取引を除く資本の変動と利益が一致するという関係は、会計情報の信頼性を高め、企業評価に役立つものと考えられている。平成17年会計基準では、当期純利益が資本取引を除く株主資本の変動をもたらすという関係を重視し、評価・換算差額等を株主資本とは区別することとした。

3　正誤問題

ア　○

イ　×

新株予約権は、報告主体の所有者である株主とは異なる新株予約権者との直接的な取引によるものであり、株主に帰属するものではないため、株主資本以外の項目とされる。

（MEMO）

第46問 純資産表示基準②

重要度 A

純資産の部の株主資本に関する以下の各問に答えなさい。

1 「貸借対照表の純資産の部の表示に関する会計基準」(以下、「基準」という。)に基づいた場合、株主資本は、資本金、資本剰余金及び利益剰余金に区分される。その区分理由を説明しなさい。

2 会社法においては、表示上は株主資本を「基準」と同様に区分することとしているが、本来はどのように区分すべきと考えているのか説明しなさい。

3 会社法が、本来上記2で解答したように区分すべきと考えている理由を説明しなさい。

4 「基準」においては、資本剰余金を資本準備金とその他資本剰余金に、利益剰余金を利益準備金とその他利益剰余金に区分することが求められている。その理由を説明しなさい。

＜解答欄＞

1

2

3

4

解　答

1

「基準」では、投資者保護のための情報開示の観点2から、取引源泉別1に資本取引から生じた維持拘束性を特質とする払込資本（資本金・資本剰余金）3と、損益取引から生じた処分可能性を特質とする留保利益（利益剰余金）3を区別することに重点を置いているためである。

2

会社法によれば、本来株主資本は、資本金、準備金及び剰余金4に区分される。

3

会社法では、株主と債権者の利害調整の観点2から、分配可能額を構成する剰余金2とそれ以外の資本金及び準備金2に区別することに重点を置いているためである。

4

「基準」では、分配可能額を構成するその他資本剰余金1とそれ以外の資本準備金1、同様に分配可能額を構成するその他利益剰余金1とそれ以外の利益準備金1に区別する必要がある会社法の考え方を考慮しているため2である。

【配　点】

1　9点　　2　4点　　3　6点　　4　6点　　合計25点

解答への道

1 「貸借対照表の純資産の部の表示に関する会計基準」（以下、「基準」という）における資本（株主資本）の区分及び区分理由

「基準」における株主資本の区分を図示すると次のようになる。

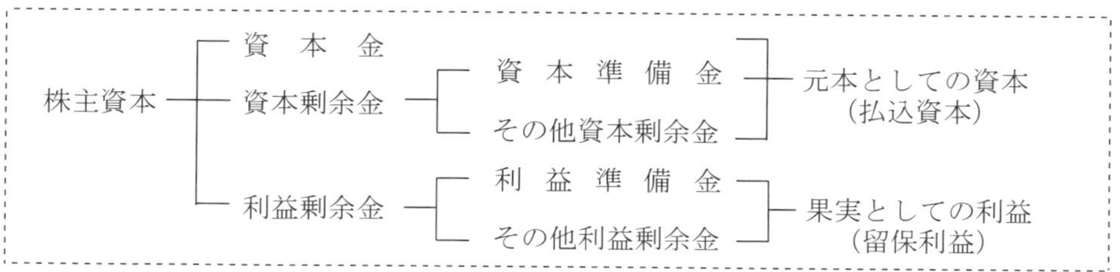

「基準」によれば、株主資本は払込資本（資本金、資本剰余金）と留保利益（利益剰余金）に分かれるが、これを取引源泉別に分類してみると次のようになる。

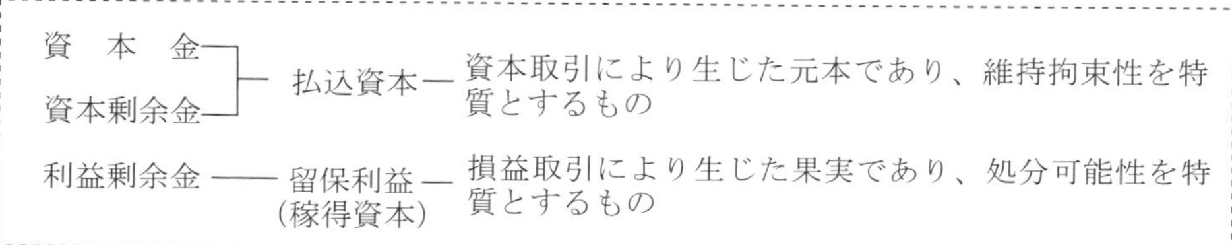

「基準」の株主資本の区分は、株主の払込資本とその運用結果としての利益の留保分たる留保利益とを区別することに重点を置いている。

払込資本は資本取引から生じた資本部分で維持拘束性を特質とするものであり、留保利益は損益取引から生じた利益部分で処分可能性を特質とするものである。このように、特質がそれぞれ異なることから、資本取引と損益取引を区別して、払込資本と留保利益を株主資本において峻別することにより、投資者に有用な情報を提供しようとするものである。

すなわち、「基準」は、投資者保護のための情報開示の観点から元本と果実を明確に区別すべきとする考え方から導かれているのである。

2 会社法会計における資本（株主資本）の本来的な区分

会社法における株主資本の区分を図示すると次のようになる。

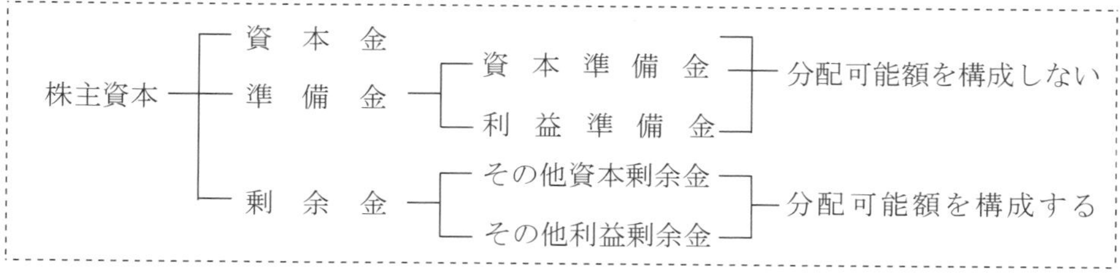

会社法は株主と債権者の利害調整の観点から分配可能額の計算を重視している。その分配

可能額の計算において、重要な役割を果たすのは、資本金や準備金ではなく剰余金である。会社法では、その他資本剰余金とその他利益剰余金を分配可能額を構成する剰余金と位置づけており、これらを分配可能額の計算のスタートとしている。

このように、会社法では、分配可能額を構成する剰余金とそれ以外の資本金・準備金に区別することを重視して株主資本を区分しているのである。

3　会社法会計における資本（株主資本）の表示上の区分

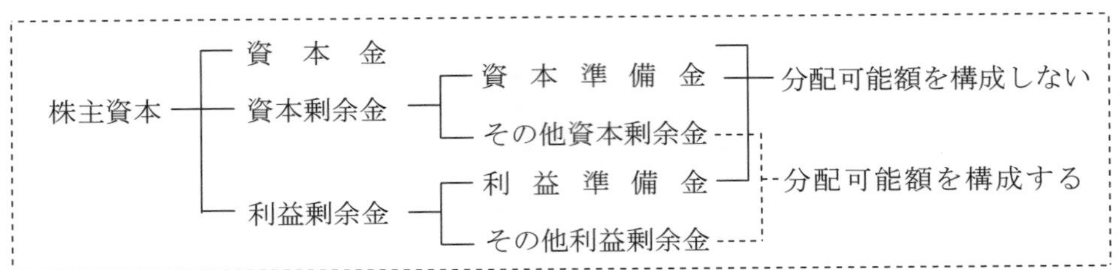

上述したように、会社法では株主資本を資本金、準備金及び剰余金に区分している。しかし、計算書類等における表示に関しては、「基準」及び財務諸表等規則に合わせている。これは金融商品取引法会計と会社法会計の一元化の観点から表示上の調整が図られたことによるものである。

4　資本剰余金及び利益剰余金の区分の考え方

「基準」によれば、資本剰余金は資本準備金とその他資本剰余金に、利益剰余金は利益準備金とその他利益剰余金に区分される。資本準備金もその他資本剰余金も資本性の剰余金である点では共通している。同様に、利益準備金もその他利益剰余金も利益性の剰余金である点では共通している。

しかし、会社法によれば、資本準備金及び利益準備金は分配可能額を構成しない項目であり、その他資本剰余金及びその他利益剰余金は剰余金であり、分配可能額を構成する項目であることから、「基準」では会社法の考え方を考慮して、資本剰余金を資本準備金とその他資本剰余金に、同様に利益剰余金を利益準備金とその他利益剰余金に区分しているのである。

（MEMO）

第47問　純資産表示基準③

重要度	A

1　自己株式の性格に関する考え方に関して、以下の各問に答えなさい。

(1) 自己株式を資産として扱うべきとする見解(資産説)について、その内容を説明しなさい。

(2) 自己株式を資本の控除項目として扱うべきとする見解(資本控除説)について、その内容を説明しなさい。

(3) 制度会計上、上記2つの見解のうち、どちらの見解を採用しているのか答えなさい。

2　自己株式処分差額の取扱いに関して、以下の各問に答えなさい。

(1) 自己株式処分差益がその他資本剰余金に計上される理由について説明しなさい。

(2) 自己株式処分差損がその他資本剰余金から減額される理由について説明しなさい。

＜解答欄＞

1

(1)	
(2)	
(3)	

2

(1)	
(2)	

解　答

1

(1)	資産説とは、自己株式を取得したのみでは株式は失効しておらず[2]、他の有価証券と同様に換金性のある会社財産[2]と捉え、資産として扱う考え方[1]をいう。
(2)	資本控除説とは、自己株式の取得は株主との間の資本取引[2]であり、会社所有者に対する会社財産の払戻しの性格を有する[2]ものと捉え、資本の控除として扱う考え方[1]をいう。
(3)	資本控除説

2

(1)	自己株式の処分が新株の発行と同様の経済的実態を有する[2]点を考慮すると、その処分差額も株主からの払込資本と同様の性格を有する[2]と考えられ、また、会社法において自己株式処分差益は分配可能額を構成する[2]ことから、その他資本剰余金に計上される。
(2)	自己株式の取得と処分を一連の取引とみた場合、純資産の部の株主資本からの分配の性格を有する[2]と考えられ、自己株式の処分が新株の発行と同様の経済的実態を有する点を考慮すると、利益剰余金の額を増減させるべきではなく、処分差益と同じく処分差損についても、資本剰余金の額の減少とすることが適切[2]であると考えられる。さらに、資本準備金からの減額が会社法上の制約を受ける[2]ことから、その他資本剰余金から減額される。

【配　点】

1 (1)　5点　(2)　5点　(3)　3点　　2 (1)　6点　(2)　6点　　合計25点

解答への道

1　自己株式の取扱い（本質観）と表示

(1) 一般の有価証券と同様の資産 ──→ 資産として表示

(2) 資本の払戻しと同様の資本の減少 ──→ 株主資本の控除項目として表示

2　制度会計上の取扱い

わが国の制度会計においては、「会社計算規則」、「財務諸表等規則」ともに資本の控除項目として取扱い、期末に保有する自己株式は、純資産の部の株主資本の末尾に自己株式として一括して控除する形式で表示している。

3　自己株式処分差益

【自己株式及び準備金の額の減少等に関する会計基準９、36～38】

９．自己株式処分差益は、その他資本剰余金に計上する。

36．自己株式を募集株式の発行等の手続で処分する場合、自己株式の処分は株主との間の資本取引と考えられ、自己株式の処分に伴う処分差額は損益計算書には計上せず、純資産の部の株主資本の項目を直接増減することが適切であると考えた。また、自己株式の取得と処分については一連の取引とみて会計処理することが適切であると考えた。

37．まず、自己株式処分差益については、自己株式の処分が新株の発行と同様の経済的実態を有する点を考慮すると、その処分差額も株主からの払込資本と同様の経済的実態を有すると考えられる。よって、それを資本剰余金として会計処理することが適切であると考えた。

38．自己株式処分差益については、資本剰余金の区分の内訳項目である資本準備金とその他資本剰余金に計上することが考えられる。会社法において、資本準備金は分配可能額からの控除項目とされているのに対し、自己株式処分差益についてはその他資本剰余金と同様に控除項目とされていない（会社法第446条及び第461条第2項）ことから、自己株式処分差益はその他資本剰余金に計上することが適切であると考えた。

4　自己株式処分差損

【自己株式及び準備金の額の減少等に関する会計基準10、39～40】

10．自己株式処分差損は、その他資本剰余金から減額する。

39．他方、自己株式処分差損については、自己株式の取得と処分を一連の取引とみた場合、純資産の部の株主資本からの分配の性格を有すると考えられる。この分配については、払込資本の払戻しと同様の性格を持つものとして、資本剰余金の額の減少と考えるべきとの意見がある。また、株主に対する会社財産の分配という点で利益配当と同様の性格であると考え、利益剰余金の額の減少と考えるべきとの意見もある。

40. 自己株式の処分が新株の発行と同様の経済的実態を有する点を考慮すると、利益剰余金の額を増減させるべきではなく、処分差益と同じく処分差損についても、資本剰余金の額の減少とすることが適切であると考えた。資本剰余金の額を減少させる科目としては、資本準備金からの減額が会社法上の制約を受けるため、その他資本剰余金からの減額が適切である。なお、その他資本剰余金の残高を超えた自己株式処分差損が発生した場合は残高が負の値になるが、資本剰余金は株主からの払込資本のうち資本金に含まれないものを表すため、本来負の残高の資本剰余金という概念は想定されない。したがって、資本剰余金の残高が負の値になる場合は、利益剰余金で補てんするほかないと考えられる。

（MEMO）

テーマ20　ストック・オプション基準

第48問　ストック・オプション基準

重要度	A

以下の文章は、「ストック・オプション等に関する会計基準」（以下、「基準」という。）の一部抜粋である。これに関連して、以下の各問に答えなさい。

> 権利確定日以前の会計処理
>
> 4．ストック・オプションを付与し、これに応じて企業が従業員等から取得するサービスは、その取得に応じて［①］として計上し、対応する金額を、ストック・オプションの権利の行使又は失効が確定するまでの間、貸借対照表の純資産の部に［②］として計上する。
>
> 権利確定日後の会計処理
>
> 8．ストック・オプションが権利行使され、これに対して新株を発行した場合には、［②］として計上した額（第４項）のうち、当該権利行使に対応する部分を［③］に振り替える。
>
> なお、［②］の行使に伴い、当該企業が自己株式を処分した場合には、自己株式の［④］と、［②］の［⑤］及び権利行使に伴う払込金額の合計額との差額は、［⑥］であり、…（以下省略）
>
> 9．<u>権利不行使による失効が生じた場合には、新株予約権として計上した額（第４項）のうち、当該失効に対応する部分を［⑦］として計上する。</u>この会計処理は、当該失効が確定した期に行う。

1　ストック・オプションとはどのようなものか説明しなさい。

2　上記文章中の空欄①～⑦にあてはまる適切な語句を答えなさい。

3　ストック・オプションが空欄①として認識される理由を説明しなさい。

4　ストック・オプションを空欄①として認識しないとする２つの見解について説明しなさい。

5　上記文章中の下線部のような会計処理が行われる理由を説明しなさい。

<解答欄>

1

2

①		②	
③		④	
⑤		⑥	
⑦			

3

4 (1)

(2)

5

解答

1

ストック・オプションとは、自社株式オプション 2 のうち、特に企業がその従業員等に、報酬として付与するもの 2 をいう。

2

①	費用	②	新株予約権
③	払込資本	④	取得原価
⑤	帳簿価額	⑥	自己株式処分差額
⑦	利益		

3

従業員に付与されたストック・オプションを対価として、これと引換えに企業に追加的にサービスが提供 2 され、企業に帰属することとなったサービスを消費したと考えられる 2 ため、費用認識すべきである。

4 (1)

ストック・オプションの付与によっても、新旧株主間で富の移転が生じるに過ぎないため 3 、現行の企業会計の枠組みの中では特に会計処理を行うべきではない。

(2)

ストック・オプションを付与しても、企業には現金その他の会社財産の流出が生じないため 3 、費用認識を行うべきではない。

5

ストック・オプションが行使されないまま失効すれば、結果として会社は無償で提供されたサービスを消費したと考えることができるため 4 、当該失効に対応する部分を利益として計上することとなるのである。

【配　点】

1　4点　　2　各1点　　3　4点　　4(1)　3点　(2)　3点　　5　4点

合計25点

解答への道

1　ストック・オプションの定義

「ストック・オプション等に関する会計基準」（以下、「基準」という）では、ストック・オプションについて次のように定義している。

2．本会計基準における用語の定義は次のとおりとする。

(1)「自社株式オプション」とは、自社の株式（財務諸表を報告する企業の株式）を原資産とするコール・オプション（一定の金額の支払により、原資産である自社の株式を取得する権利）をいう。新株予約権はこれに該当する。

なお、本会計基準においては、企業が、財貨又はサービスを取得する対価として自社株式オプションを取引の相手方に付与し、その結果、自社株式オプション保有者の権利行使に応じて自社の株式を交付する義務を負う場合を取り扱っている。

(2)「ストック・オプション」とは、自社株式オプションのうち、特に企業がその従業員等（本項(3)）に、報酬（本項(4)）として付与するものをいう。…（以下省略）

2　費用認識する根拠

ストック・オプションの付与に応じ、従業員等から受けたサービスを費用として認識する根拠について、「基準」では次のように述べている。

35．費用認識に根拠があるとする指摘は、従業員等に付与されたストック・オプションを対価として、これと引換えに、企業に追加的にサービスが提供され、企業に帰属することとなったサービスを消費したことに費用認識の根拠があると考えるものである。

企業に帰属し、貸借対照表に計上されている財貨を消費した場合に費用認識が必要である以上、企業に帰属しているサービスを消費した場合にも費用を認識するのが整合的である。企業に帰属したサービスを貸借対照表に計上しないのは、単にサービスの性質上、貯蔵性がなく取得と同時に消費されてしまうからに過ぎず、その消費は財貨の消費と本質的に何ら異なるところはないからである。

3　費用認識しないとする根拠

従業員等から受けたサービスを費用として認識しないとする根拠について、「基準」では次のように述べている。

37. 費用認識に根拠がないとする指摘の背景として、現行の会計基準の枠組みにおいては、単に新旧株主間で富の移転が生じるだけの取引では費用認識を行っていないことが挙げられる。例えば、新株が時価未満で発行された場合には、新株を引き受ける者が当該株式の時価と発行価格との差額分の利益を享受する反面、既存株主にはこれに相当する持分の希薄化が生じ、新旧株主間で富の移転が生じている。このような場合、現行の会計基準の枠組みの中では、企業の株主持分の内部で富の移転が生じたに過ぎないと考え、時価と発行価額との差額については特に会計処理を行わない。もし、サービスの対価として従業員等にこれを付与する取引も会計上これと同様の取引であると評価することができれば、現行の会計基準の枠組みの中では費用認識に根拠はないということになる。…（以下省略）

38. 費用認識に根拠がないとする指摘には、前項の指摘の他、費用として認識されているものは、いずれかの時点で現金その他の会社財産の流出に結び付くのが通常であるが、従業員等にサービス提供の対価としてストック・オプションを付与する取引においては、付与時点ではもちろん、サービスが提供され、それを消費した時点においても、会社財産の流出はないことを理由とするものがある。…（以下省略）

4　権利不行使による失効部分を利益として計上する理由

権利不行使による失効部分を利益として計上する理由を「基準」では以下のように規定している。

46. 取引が完結し、付与されたストック・オプションの権利が確定した後に、株価の低迷等の事情により権利が行使されないままストック・オプションが失効した場合でも、これと引換えに提供されたサービスが既に消費されている以上、過去における費用の認識自体は否定されない。しかし、ストック・オプションは自社の株式をあらかじめ決められた価格で引き渡す可能性であるにすぎないから、それが行使されないまま失効すれば、結果として会社は株式を時価未満で引き渡す義務を免れることになる。結果が確定した時点で振り返れば、会社は無償で提供されたサービスを消費したと考えることができる。このように、新株予約権が行使されずに消滅した結果、新株予約権を付与したことに伴う純資産の増加が、株主との直接的な取引によらないこととなった場合には、それを利益に計上した上で株主資本に算入する（なお、非支配株主に帰属する部分は、非支配株主に帰属する当期純利益に計上することになる。）。

テーマ21　包括利益表示基準

第49問　包括利益表示基準

重要度	A

「包括利益の表示に関する会計基準」に関する以下の各問に答えなさい。

> 包括利益の計算の表示
>
> 6　当期純利益にその他の包括利益の内訳項目を加減して包括利益を表示する。

1　包括利益とはどのようなものか説明しなさい。

2　その他の包括利益とはどのようなものか説明しなさい。

3　上記の規定のように当期純利益と併せて包括利益を表示する目的を説明しなさい。

＜解答欄＞

1

2

3

解　答

1

包括利益とは、ある企業の特定期間の財務諸表において認識された純資産の変動額[4]のうち、当該企業の純資産に対する持分所有者との直接的な取引によらない部分[4]をいう。

2

その他の包括利益とは、包括利益[4]のうち当期純利益に含まれない部分[4]をいう。

3

当期純利益と併せて包括利益を表示する目的は、企業成果についての情報の全体的な有用性を高めること[9]にある。

【配　点】

1　8点　　2　8点　　3　9点　　合計25点

解答への道

1　包括利益とは

包括利益とは、ある企業の特定期間の財務諸表において認識された純資産の変動額のうち、当該企業の純資産に対する持分所有者との直接的な取引によらない部分をいう。

当該企業の純資産に対する持分所有者には、当該企業の株主のほか当該企業の発行する新株予約権の所有者が含まれ、連結財務諸表においては、当該企業の子会社の非支配株主も含まれる。

2　その他の包括利益とは

その他の包括利益とは、包括利益のうち当期純利益に含まれない部分をいう。その他の包括利益は、包括利益と当期純利益との間の差額であり、連結財務諸表におけるその他の包括利益には、親会社株主に係る部分と非支配株主に係る部分が含まれる。

3　包括利益の計算の表示

当期純利益にその他の包括利益の内訳項目を加減して包括利益を表示する。

このような包括利益の計算は、包括利益の定義に従った計算過程とは異なるが、このような計算の表示の方が有用と考えられ、国際的な会計基準においても同様の方式が採られている。

4　包括利益を表示する目的

包括利益を表示する目的は、期中に認識された取引及び経済的事象（資本取引を除く。）により生じた純資産の変動を報告することである。包括利益の表示によって提供される情報は、投資家等の財務諸表利用者が企業全体の事業活動について検討するのに役立つことが期待されるとともに、貸借対照表との連携（純資産と包括利益とのクリーン・サープラス関係）を明示することを通じて、財務諸表の理解可能性と比較可能性を高め、また、国際的な会計基準とのコンバージェンスにも資するものと考えられる。

包括利益の表示の導入は、包括利益を企業活動に関する最も重要な指標として位置づけることを意味するものではなく、当期純利益に関する情報と併せて利用することにより、企業活動の成果についての情報の全体的な有用性を高めることを目的とするものである。

テーマ22　キャッシュ・フロー計算書基準

第50問　キャッシュ・フロー計算書基準

重要度	B

「連結キャッシュ・フロー計算書等の作成基準」（以下、「基準」という。）に関する以下の各問に答えなさい。

1　キャッシュ・フロー計算書とは、どのような財務諸表なのか説明しなさい。

2　キャッシュ・フロー計算書における資金の範囲について説明しなさい。

3　「基準」に基づくと、法人税等の支払額については、営業活動によるキャッシュ・フローの区分に記載することとされている。本来、理論的にはどのように表示すべきか、また、「基準」が営業活動によるキャッシュ・フローの区分に表示することとした理由を説明しなさい。

4　資金の範囲に関する以下の記述のうち、適切なものを１つ選択し、その記号を答案用紙に記入しなさい。

ア　価格変動リスクの高い株式等は資金の範囲には含まれない。

イ　現金同等物には、例えば、貸借対照表日の翌日から起算して１年以内に満期日又は償還日が到来する短期的な投資が含まれる。

<解答欄>

1

2

3

4

解答

1

キャッシュ・フロー計算書は、一会計期間におけるキャッシュ・フローの状況を一定の活動区分別に表示するもの[3]であり、貸借対照表及び損益計算書と同様に企業活動全体を対象とする重要な情報を提供するもの[3]である。

2

キャッシュ・フロー計算書が対象とする資金の範囲は、現金及び現金同等物[4]をいう。

現金とは、手許現金、要求払預金及び特定の電子決済手段[2]をいい、現金同等物とは、容易に換金可能[2]であり、かつ、価値の変動について僅少なリスクしか負わない[2]短期投資[2]をいう。

3

法人税等は、それぞれの活動から生じる課税所得をもとに算定されるものであるため、理論的にはそれぞれの活動区分別に記載すべき[3]ことになる。しかし、それぞれの活動ごとに課税所得を分割することは、一般に困難である[3]と考えられるため、「基準」では、営業活動によるキャッシュ・フローの区分にまとめて記載することとしたのである。

4

ア

【配　点】

1　6点　　2　12点　　3　6点　　4　1点　　合計25点

解答への道

1　キャッシュ・フロー計算書の位置付け

キャッシュ・フロー計算書は、一会計期間におけるキャッシュ・フローの状況を一定の活動区分別に表示するものであり、貸借対照表及び損益計算書と同様に企業活動全体を対象とする重要な情報を提供するものである。

2　資金の範囲

キャッシュ・フロー計算書で対象とするキャッシュ（資金）の範囲は現金及び現金同等物である。現金とは、手許現金、要求払預金及び特定の電子決済手段をいう。また、現金同等物とは、容易に換金可能であり、かつ、価値の変動について僅少なリスクしか負わない短期投資である。一般的には、キャッシュ・フロー計算書の比較可能性を考慮して、取得日から３か月以内に満期日又は償還日が到来する短期的な投資をいう。

「連結キャッシュ・フロー計算書等の作成基準注解」では、次のように規定している。

（注１）要求払預金について

要求払預金には、例えば、当座預金、普通預金、通知預金が含まれる。

（注２）現金同等物について

現金同等物には、例えば、取得日から満期日又は償還日までの期間が三か月以内の短期投資である定期預金、譲渡性預金、コマーシャル・ペーパー、売戻し条件付現先、公社債投資信託が含まれる。

3　各表示区分の内容

(1) 営業活動によるキャッシュ・フロー

営業活動によるキャッシュ・フロー ⇨ 企業の本務である営業活動による現金創造能力の現在の結果が明らかとなる。

【収入】	【支出】
商品・役務の販売による収入	商品・役務の購入による支出
災害による保険金収入	従業員・役員に対する人件費支出
受取利息・受取配当金	損害賠償金の支出
	法人税等の支出
	支払利息

(2) 投資活動によるキャッシュ・フロー

投資活動によるキャッシュ・フロー	⇨	将来の現金創造能力を高めるために、投資活動を通して企業の資金がどのように投下され又は回収されたかが明らかとなる。

【収入】	【支出】
有形固定資産の売却による収入	有形固定資産の取得による支出
投資有価証券の売却による収入	投資有価証券の取得による支出
貸付金の回収による収入	貸付けによる支出

(3) 財務活動によるキャッシュ・フロー

財務活動によるキャッシュ・フロー	⇨	営業活動及び投資活動を維持するためにどの程度の資金が調達され又は返済されたかが明らかとなる。

【収入】	【支出】
株式の発行による収入	自己株式の取得による支出
社債の発行による収入	社債の償還による支出
借入れによる収入	借入金の返済による支出
	支払配当金

4　法人税等の表示区分

法人税等の表示区分について、次の２つの表示方法が考えられる。

(1) 法人税等を「営業活動によるキャッシュ・フロー」の区分に記載する方法

(2) 法人税等を「営業活動によるキャッシュ・フロー」、「投資活動によるキャッシュ・フロー」、「財務活動によるキャッシュ・フロー」の３つの区分に分けてそれぞれ記載する方法

法人税等は、それぞれの活動から生じる課税所得をもとに算定されるものであるため、理論的には、それぞれの活動区分に分けて記載すべきこととなる。

しかし、それぞれの活動ごとに課税所得を分割することは、一般的に困難であると考えられるため、制度会計上は、「営業活動によるキャッシュ・フロー」の区分にまとめて記載する方法を採用しているのである。

5　正誤問題

ア　○

イ　×

現金同等物には、例えば、取得日から３カ月以内に満期日又は償還日が到来する短期的な投資が含まれる。

テーマ23　連結財務諸表基準・四半期財務諸表基準

第51問　連結財務諸表基準・四半期財務諸表基準

重要度	B

1　連結財務諸表に関して、以下の(1)から(3)に答えなさい。

(1) 連結財務諸表の作成目的を説明しなさい。

(2) 連結財務諸表の作成の考え方には、親会社説と経済的単一体説があるがそれぞれの考え方について説明しなさい。

(3) 親会社説と経済的単一体説のもとでは、非支配株主持分の貸借対照表上の表示方法が異なることとなるが、それぞれの貸借対照表上の表示方法について説明しなさい。

2　四半期財務諸表に関して、以下の(1)及び(2)に答えなさい。

(1) 四半期財務諸表の作成の考え方には、実績主義と予測主義がある。それぞれの内容について説明しなさい。また、わが国において作成される四半期財務諸表はどちらの考え方に基づいて作成されているか、その名称を答えなさい。

(2) 四半期財務諸表は年度の財務諸表と比較し、簡便な会計処理が認められている。その理由を簡潔に説明しなさい。

<解答欄>

1

<table>
<tr><td rowspan="1">(1)</td><td colspan="2"></td></tr>
<tr><td rowspan="2">(2)</td><td>親会社説</td><td></td></tr>
<tr><td>経 済 的
単一体説</td><td></td></tr>
<tr><td rowspan="2">(3)</td><td>親会社説</td><td></td></tr>
<tr><td>経 済 的
単一体説</td><td></td></tr>
</table>

2

<table>
<tr><td rowspan="3">(1)</td><td>実績主義</td><td colspan="2"></td></tr>
<tr><td>予測主義</td><td colspan="2"></td></tr>
<tr><td>採用されている考え方</td><td></td><td></td></tr>
<tr><td>(2)</td><td colspan="3"></td></tr>
</table>

解　答

1

(1)	連結財務諸表は、支配従属関係にある二つ以上の企業からなる集団（企業集団）を単一の組織体とみなし[1]て、親会社[1]が当該企業集団の財政状態、経営成績及びキャッシュ・フローの状況を総合的に報告するため[2]に作成するものである。	
(2)	親会社説	親会社説とは、連結財務諸表を親会社の株主のために作成[1]するものと考え、連結財務諸表を親会社の財務諸表の延長線上に位置づけ[1]て、親会社の株主の持分のみ[1]を反映させる考え方である。
	経済的単一体説	経済的単一体説とは、連結財務諸表を企業集団全体の株主のために作成[2]するものと考え、連結財務諸表を親会社とは区別される企業集団全体の財務諸表と位置づけて、企業集団を構成するすべての連結会社の株主の持分[1]を反映させる考え方である。
(3)	親会社説	非支配株主持分は、純資産の部の株主資本以外の項目[2]として表示される。
	経済的単一体説	非支配株主持分は、純資産の部の株主資本の項目[2]として表示される。

2

(1)	実績主義	実績主義とは、四半期会計期間を年度と並ぶ一会計期間[1]とみた上で、四半期財務諸表を、原則として年度の財務諸表と同じ会計方針を適用して作成する[1]ことにより、当該四半期会計期間に係る企業集団又は企業の財政状態、経営成績及びキャッシュ・フローの状況に関する情報を提供する[2]という考え方である。
	予測主義	予測主義とは、四半期会計期間を年度の一構成部分[1]と位置付けて、四半期財務諸表を、年度の財務諸表と部分的に異なる会計方針を適用して作成する[1]ことにより、当該四半期会計期間を含む年度の業績予測に資する情報を提供する[2]という考え方である。
	採用されている考え方	実績主義
(2)	四半期財務諸表が年度の財務諸表よりも開示の迅速性が求められているため[2]である。	

【配　点】

1 (1)　4点　(2)　親会社説　3点　経済的単一体説　3点　(3)　各2点

2 (1)　実績主義　4点　予測主義　4点　採用されている考え方　1点

(2)　2点　　合計25点

解答への道

1　連結財務諸表の作成目的

「連結財務諸表に関する会計基準」（以下「基準」という）において、連結財務諸表の作成目的を次のように述べている。

連結財務諸表は、支配従属関係にある２つ以上の企業からなる集団（企業集団）を単一の組織体とみなして、親会社が当該企業集団の財政状態、経営成績及びキャッシュ・フローの状況を総合的に報告するために作成するものである。

2　連結財務諸表の作成の考え方

親会社説と経済的単一体説は、いずれも企業集団の資産・負債と収益・費用を連結財務諸表に表示するという点では変わりがない。しかし、資本の処理等に関して違いがある。親会社説では、連結財務諸表は親会社の財務諸表の延長線上に位置付けられ、親会社の株主持分のみを連結の持分として作成される。これに対して、経済的単一体説では、連結財務諸表を親会社とは区別される企業集団全体の財務諸表と位置付け、企業集団を構成するすべての会社の株主持分を連結上の持分として作成される。

したがって、親会社説と経済的単一体説では非支配株主持分（子会社の資本のうち親会社の持分に属さない部分）の取扱いが決定的に異なる。親会社説では、連結貸借対照表において非支配株主持分を純資産の部のうち株主資本以外に表示する。これに対して経済的単一体説によれば、非支配株主持分は純資産の部の株主資本に表示されることとなる。

3　非支配株主持分の表示

「親会社説」と「経済的単一体説」のもとでは、非支配株主持分の貸借対照表上の表示方法が異なる。

(1) 親会社説

親会社説のもとでは、株主資本は親会社の株主に帰属する持分と位置づけられる。そのため、非支配株主持分は、純資産の部の株主資本以外の項目として表示される。

(2) 経済的単一体説

経済的単一体説のもとでは、株主資本は企業集団を構成するすべての株主に帰属する持分と位置づけられる。そのため、非支配株主持分は純資産の部の株主資本の項目として表示される。

4　四半期財務諸表作成の考え方

四半期財務諸表の性格付けについては、中間財務諸表等の性格付けが「予測主義」から「実績主義」に変更されたことなどを理由に「実績主義」を基本とすることとしている。

なお、「中間連結財務諸表等の作成基準の設定に関する意見書」では、以下の理由から、「実績主義」とすることとしていた。

(1)『中間財務諸表』を、中間会計期間を含む事業年度の業績の予測に資する情報を提供するものとして性格付けることもできるが、『中間財務諸表』及び『財務諸表』は、中間会計期間又は事業年度に係る企業集団又は企業の財政状態及び経営成績を明らかにすることにより、いずれも投資者に対して将来の業績の予測に資する情報を提供するものと性格付けることがむしろ適当と考えられること。

(2) いずれの考え方を採る場合であっても、期間計算である限り、見積もりや予測に基づく測定は避けられないが、相対的にみて、「予測主義」による場合はより多くそのような測定に依存せざるを得ないため、恣意的な判断の介入の余地が大きいと考えられること。

(3) 中間連結財務諸表の導入に伴い多くの子会社等において新たに中間財務諸表を作成することが必要となるが、「実績主義」によれば、それを年度の財務諸表と同様の基準により作成することができ、計算手続が明確であるため、実行面で優れていると考えられること。

【四半期財務諸表に関する会計基準・39】

…本会計基準では、次のような理由から、「実績主義」を基本とすることとした。

(1) 平成10年３月に企業会計審議会から公表された「中間連結財務諸表等の作成基準の設定に関する意見書」において、①中間会計期間の実績を明らかにすることにより、将来の業績予測に資する情報を提供するものと位置付けることがむしろ適当と考えられること、②恣意的な判断の介入の余地や実行面での計算手続の明確化などを理由として、中間財務諸表等の性格付けが「予測主義」から「実績主義」に変更されたこと

(2) 季節変動性については、「実績主義」による場合でも、十分な定性的情報や前年同期比較を開示することにより、財務諸表利用者を誤った判断に導く可能性を回避できると考えられること

(3) 当委員会が実施した市場関係者へのヒアリング調査や当委員会等での審議を通じて確認した我が国の市場関係者の意見では、「実績主義」における実務処理の容易さが指摘されただけでなく、「予測主義」によると会社の恣意性が入る可能性があり、また、会社ごとに会計方針が大きく異なると企業間比較が困難になるとの指摘が多かったこと

(4) 平成12年９月に改訂されたカナダ基準では、「予測主義」の弊害を掲げて「実績主義」が望ましいと判断されたこと

5　四半期財務諸表の特徴（簡便的な会計処理の容認）

四半期財務諸表は、年度の財務諸表よりも開示の迅速性が求められているため、四半期会計期間及び期首からの累計期間に係る企業集団又は企業の財政状態、経営成績及びキャッシュ・フローの状況に関する財務諸表利用者の判断を誤らせない限り、簡便的な会計処理によることができることとしている。

【四半期財務諸表に関する会計基準・47】

47. 四半期財務諸表は、年度の財務諸表や中間財務諸表よりも開示の迅速性が求められている。本会計基準では、この点を踏まえ、四半期会計期間及び期首からの累計期間に係る企業集団又は企業の財政状態、経営成績及びキャッシュ・フローの状況に関する財

務諸表利用者の判断を誤らせない限り、中間作成基準よりも簡便的な会計処理によることができることとした。

（以下省略）

テーマ24 会計上の変更等基準

第52問 会計上の変更等基準

重要度	B

「会計方針の開示、会計上の変更及び誤謬の訂正に関する会計基準」（以下、「基準」という。）に関する以下の各問に答えなさい。

1 以下の文章は「基準」から一部抜粋したものである。空欄①から④に入る適切な用語を答えなさい。

> 4. 本会計基準における用語の定義は次のとおりとする。
> (1)「会計方針」とは、財務諸表の作成にあたって採用した［ ① ］の原則及び手続をいう。
> ～（中略）～
> (3)「会計上の見積り」とは、資産及び負債や収益及び費用等の額に［ ② ］がある場合において、財務諸表作成時に［ ③ ］な情報に基づいて、その［ ④ ］な金額を算出することをいう。

2 「基準」において、会計方針を変更した場合に遡及適用が行われる根拠を答えなさい。

3 「基準」において、会計上の見積りを変更した場合に将来にわたり会計処理が行われる根拠を答えなさい。

<解答欄>

1

①		②	
③		④	

2

3

解　答

1

①	会計処理	②	不確実性
③	入手可能	④	合理的

2

会計方針の変更を行った場合に過去の財務諸表に対して新しい会計方針を遡及適用することにより、財務諸表全般についての比較可能性が高まる［4］ものと考えられ、また、情報の有用性が高まる［4］ことが期待されるためである。

3

会計上の見積りの変更は、新しい情報によってもたらされるものである［5］との認識から、過去に遡って処理せず、その影響は将来に向けて認識するという考え方がとられているため［4］である。

【配　点】

1　各2点　　2　8点　　3　9点　　合計25点

解答への道

1　会計上の変更等に関する取扱い

「会計方針の開示、会計上の変更及び誤謬の訂正に関する会計基準」（以下、「基準」という）では、会計上の変更及び誤謬の訂正については、次のように取扱うこととされている。

会計上の変更	会計方針の変更	遡及処理（遡及適用）
	表示方法の変更	遡及処理（財務諸表の組替え）
	会計上の見積りの変更	遡及処理なし
過去の誤謬の訂正		遡及処理（修正再表示）

2　会計方針の変更

(1) 定　義

会計方針とは、財務諸表の作成にあたって採用した会計処理の原則及び手続をいう。また、会計方針の変更とは、従来採用していた一般に公正妥当と認められた会計方針から他の一般に公正妥当と認められた会計方針に変更することをいう。

(2) 変更の取扱い

会計方針を変更した場合には、原則として新たな会計方針を過去の期間のすべてに遡及適用する。

(3) 根　拠

会計方針の変更を行った場合に過去の財務諸表に対して新しい会計方針を遡及適用することにより、財務諸表全般についての比較可能性が高まるものと考えられ、また、情報の有用性が高まることが期待されるためである。

3　会計上の見積りの変更

(1) 定　義

会計上の見積りとは、資産及び負債や収益及び費用等の額に不確実性がある場合において、財務諸表作成時に入手可能な情報に基づいて、その合理的な金額を算出することをいう。

また、会計上の見積りの変更とは、新たに入手可能となった情報に基づいて、過去に財務諸表を作成する際に行った会計上の見積りを変更することをいう。

(2) 変更の取扱い

会計上の見積りの変更は、当該変更が変更期間のみに影響する場合には、当該変更期間に会計処理を行い、当該変更が将来の期間にも影響する場合には、将来にわたり会計処理を行う。

(3) 根　拠

会計上の見積りの変更は、新しい情報によってもたらされるものであるとの認識から、過去に遡って処理せず、その影響は将来に向けて認識するという考え方がとられているためである。

テーマ25　収益認識基準

第53問　収益認識基準

重要度　A

次の文章は、「収益認識に関する会計基準」（以下、「基準」という。）からの一部抜粋である。これに関連して以下の各問に答えなさい。

> 17. 前項の基本となる原則に従って収益を認識するために、次の(1)から(5)のステップを適用する。
>
> (1) [①] との [②] を識別する。（以下省略）
>
> (2) [②] における [③] を識別する。（以下省略）
>
> (3) [④] を算定する。（以下省略）
>
> (4) [②] における [③] に [④] を配分する。（以下省略）
>
> (5) [③] を [⑤] に又は [⑥] 収益を認識する。（以下省略）

1　下線部に関して、「収益認識に関する会計基準」の基本となる原則を簡潔に答えなさい。

2　空欄 [①] から [⑥] にあてはまる適切な語句を答案用紙に記入しなさい。

3　以下の記述のうち、適切なものをすべて選択し、その記号を答案用紙に記入しなさい。

イ　空欄 [④] には、第三者のために回収する額を含めてはいけない。

ロ　「基準」では、履行義務の充足時期とは異なる出荷基準や着荷基準の適用は一切認められていない。

ハ　「基準」では、割賦販売における回収基準は重要性等に関する代替的な取扱いとして認められている。

ニ　「原価回収基準」とは、履行義務を充足する際に発生する費用のうち、回収することが見込まれる費用の金額で収益を認識する方法をいう。

＜解答欄＞

1

2

①		②	
③		④	
⑤		⑥	

3

解　答

1

基本となる原則は、約束した財又はサービスの顧客への移転 2 を当該財又はサービスと交換 3 に企業が権利を得ると見込む対価の額で描写 3 するように、収益を認識することである。

2

①	顧客	②	契約
③	履行義務	④	取引価格
⑤	充足した時	⑥	充足するにつれて

3

イ、ニ

【配　点】

1　8点　　2　各2点　　3　5点（完答）　　合計25点

解答への道

1　基本となる原則

「収益認識に関する会計基準」（以下、「基準」という。）の基本となる原則は、約束した財又はサービスの顧客への移転を当該財又はサービスと交換に企業が権利を得ると見込む対価の額で描写するように、収益を認識することである。

当該基本となる原則に従って収益を認識するために、次の(1)から(5)のステップを適用する。

(1)　顧客との契約を識別する。

本会計基準の定めは、顧客と合意し、かつ、所定の要件を満たす契約に適用する。

(2)　契約における履行義務を識別する。

契約において顧客への移転を約束した財又はサービスが、所定の要件を満たす場合には別個のものであるとして、当該約束を履行義務として区分して識別する。

(3)　取引価格を算定する。

変動対価又は現金以外の対価の存在を考慮し、金利相当分の影響及び顧客に支払われる対価について調整を行い、取引価格を算定する。

(4) 契約における履行義務に取引価格を配分する。

契約において約束した別個の財又はサービスの独立販売価格の比率に基づき、それぞれの履行義務に取引価格を配分する。独立販売価格を直接観察できない場合には、独立販売価格を見積る。

(5) 履行義務を充足した時に又は充足するにつれて収益を認識する。

約束した財又はサービスを顧客に移転することにより履行義務を充足した時に又は充足するにつれて、充足した履行義務に配分された額で収益を認識する。履行義務は、所定の要件を満たす場合には一定の期間にわたり充足され、所定の要件を満たさない場合には一時点で充足される。

2 履行義務の充足による収益の認識

(1) 履行義務の充足による収益の認識

企業は約束した財又はサービスを顧客に移転することによって履行義務を充足した時に又は充足するにつれて、収益を認識する。資産が移転するのは、顧客が当該資産に対する支配を獲得した時又は獲得するにつれてである。

なお、「収益認識基準」では、履行義務の充足時期から大きく遅れて収益を認識することとなる回収基準は排除されている。

また、出荷時から当該商品又は製品の支配が顧客に移転される時（例えば顧客による検収時）までの期間が通常の期間である場合には、出荷基準や着荷基準の適用が認められている（重要性等に関する代替的な取扱い）。

(2) 一定の期間にわたり充足される履行義務についての収益の認識

一定の期間にわたり充足される履行義務については、履行義務の充足に係る進捗度を見積り、履行義務の充足に係る進捗度を合理的に見積ることができる場合にのみ、一定の期間にわたり充足される履行義務について収益を認識する。履行義務の充足に係る進捗度を合理的に見積ることができないが、当該履行義務を充足する際に発生する費用を回収することが見込まれる場合には、履行義務の充足に係る進捗度を合理的に見積ることができる時まで、一定の期間にわたり充足される履行義務について原価回収基準により処理する。

3　履行義務の充足による収益の認識に関する正誤問題

イ　○

ロ　×　「基準」では、出荷時から着荷時又は検収時までの期間が通常の期間である場合には、出荷基準や着荷基準の適用が認められている（重要性等に関する代替的な取扱い）。

ハ　×　「基準」では、履行義務の充足時期から大きく遅れて収益を認識することとなる回収基準は排除されている。

ニ　○

(MEMO)

税理士受験シリーズ

2025年度版　8　財務諸表論　理論問題集　基礎編

（平成20年度版　2007年11月５日　初版 第１刷発行）

2024年９月５日　初　版　第１刷発行

編著者　ＴＡＣ株式会社
（税理士講座）

発行者　多田敏男

発行所　ＴＡＣ株式会社　出版事業部
（ＴＡＣ出版）

〒101-8383
東京都千代田区神田三崎町3-2-18
電話 03 (5276) 9492 (営業)
FAX 03 (5276) 9674
https://shuppan.tac-school.co.jp

印刷　株式会社　ワコー

製本　株式会社　常川製本

ISBN 978-4-300-11308-0
N.D.C. 336

乱丁・落丁による交換、および正誤のお問合せ対応は、該当書籍の改訂版刊行月末日までといたします。なお、交換につきましては、書籍の在庫状況等により、お受けできない場合もございます。
また、各種本試験の実施の延期、中止を理由とした本書の返品はお受けいたしません。返金もいたしかねますので、あらかじめご了承くださいますようお願い申し上げます。

「税理士」の扉を開くカギ

それは、合格できる教育機関を決めること!

あなたが教育機関を決める最大の決め手は何ですか?
通いやすさ、受講料、評判、規模、いろいろと検討事項はありますが、一番の決め手となること、それは「合格できるか」です。
TACは、税理士講座開講以来今日までの40年以上、「受講生を合格に導く」ことを常に考え続けてきました。そして、「最小の努力で最大の効果を発揮する、良質なコンテンツの提供」をもって多数の合格者を輩出し、今も厚い信頼と支持をいただいております。

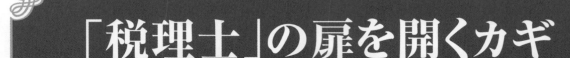

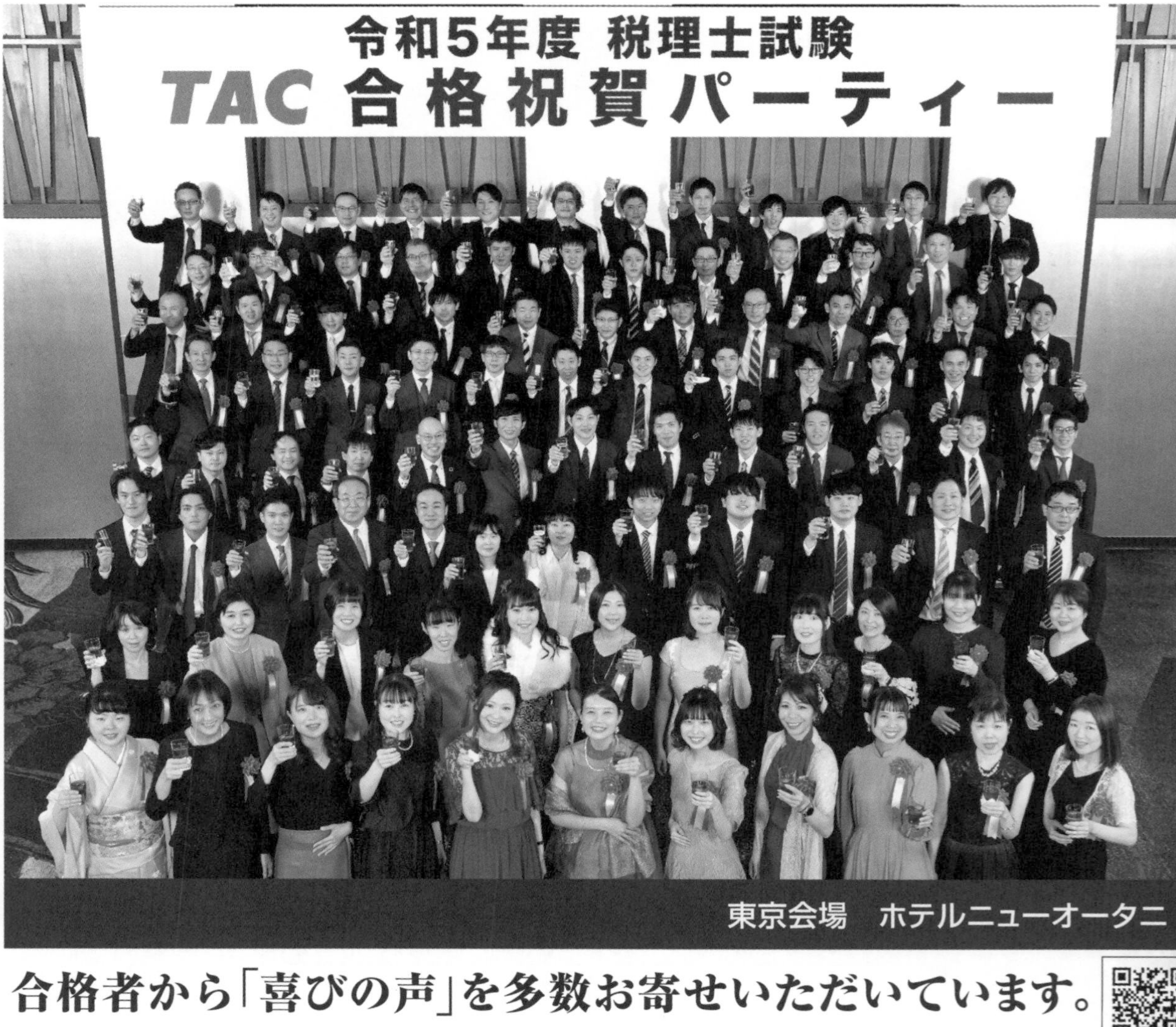

東京会場　ホテルニューオータニ

合格者から「喜びの声」を多数お寄せいただいています。

https://www.tac-school.co.jp/kouza_zeiri/zeiri_jisseki.html

2025年合格目標コース

反復学習でインプット強化! & 豊富な演習量で実践力強化!

対象者：初学者／次の科目の学習に進む方

2024年 9月 10月 11月 12月 2025年 1月 2月 3月 4月 5月 6月 7月 8月

9月入学 基礎マスター＋上級コース（簿記・財表・相続・消費・酒税・固定・事業・国徴）
3回転学習！年内はインプットを強化、年明けは演習機会を増やして実践力を鍛える！
※簿記・財表は5月・7月・8月・10月入学コースもご用意しています。

9月入学 ベーシックコース（法人・所得）
2回転学習!週2ペース、8ヵ月かけてインプットを鍛える!

9月入学 年内完結＋上級コース（法人・所得）
3回転学習!年内はインプットを強化、年明けは演習機会を増やして実践力を鍛える!

12月・1月入学　速修コース（全11科目）
7ヵ月～8ヵ月間で合格レベルまで仕上げる!

3月入学　速修コース（消費・酒税・固定・国徴）
短期集中で税法合格を目指す!

→ 8月 税理士試験

対象者：受験経験者（受験した科目を再度学習する場合）

2024年 9月 10月 11月 12月 2025年 1月 2月 3月 4月 5月 6月 7月 8月

9月入学　年内上級講義＋上級コース（簿記・財表）
年内に基礎・応用項目の再確認を行い、実力を引き上げる！

9月入学　年内上級演習＋上級コース（法人・所得・相続・消費）
年内から問題演習に取り組み、本試験時の実力維持・向上を図る！

12月入学　上級コース（全10科目）
※住民税の開講はございません
講義と演習を交互に実施し、答案作成力を養成!

→ 8月 税理士試験

※2024年7月12日時点の情報です。最新の情報は、TAC税理士講座ホームページをご確認ください。

税理士講座のご案内

チャレンジコース

受験経験者・独学生待望のコース!

4月上旬開講!

開講科目	簿記・財表・法人 所得・相続・消費

基礎知識の底上げ  **徹底した本試験対策**

チャレンジ講義 + チャレンジ演習 + 直前対策講座 + 全国公開模試

受験経験者・独学生向けカリキュラムが一つのコースに!

※チャレンジコースには直前対策講座(全国公開模試含む)が含まれています。

直前対策講座

5月上旬開講!

本試験突破の最終仕上げ!

直前期に必要な対策がすべて揃っています!

徹底分析!「試験委員対策」

即時対応!「税制改正」

毎年的中!「予想答練」

※直前対策講座には全国公開模試が含まれています。

学習メディア	教室講座・ビデオブース講座 Web通信講座・DVD通信講座・資料通信講座

＼ 全11科目対応 ／

開講科目	簿記 ・財表 ・法人 ・所得 ・相続 ・消費 酒税 ・固定 ・事業 ・住民 ・国徴

チャレンジコース・直前対策講座ともに詳しくは2月下旬発刊予定の
「チャレンジコース・直前対策講座パンフレット」をご覧ください。

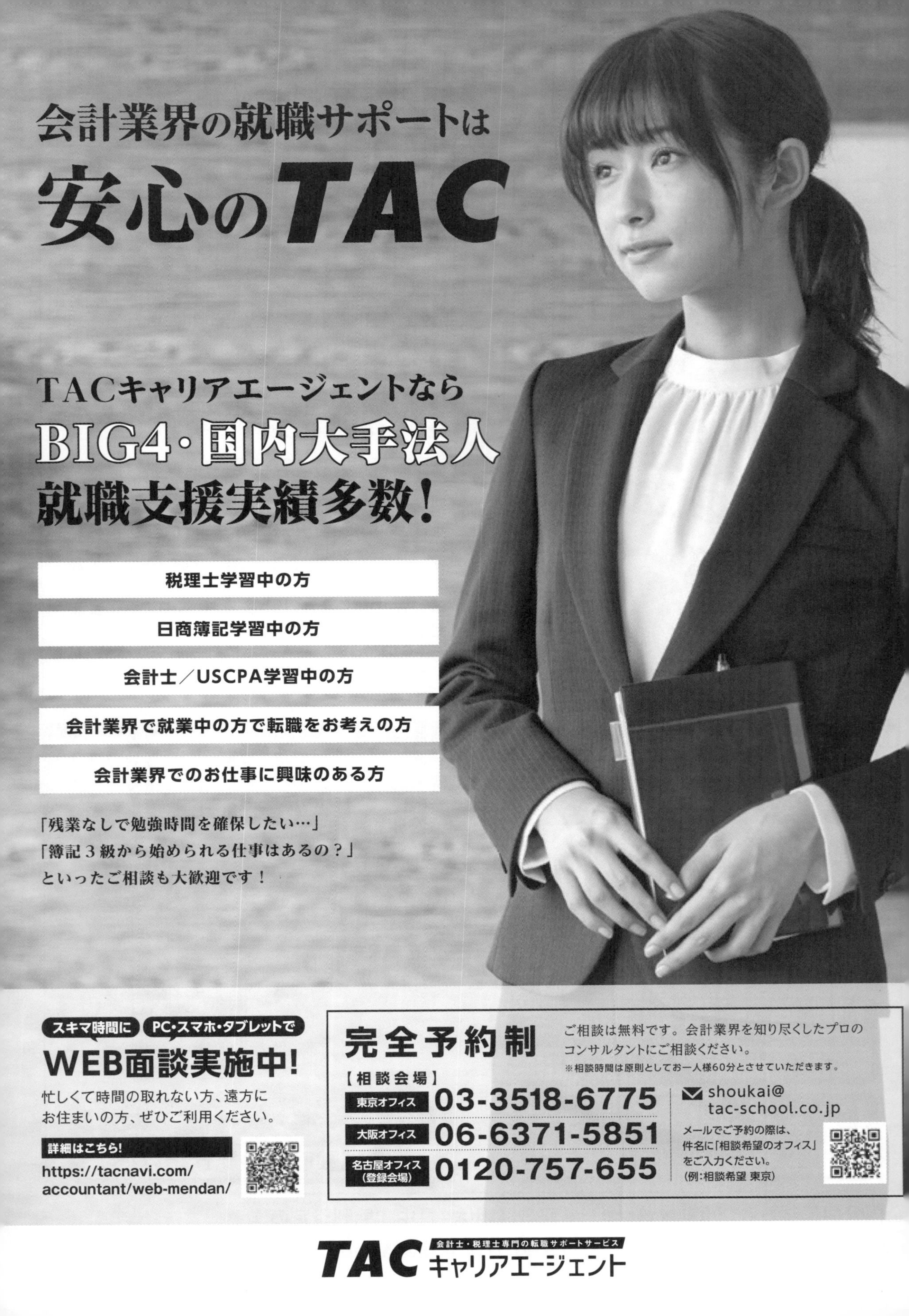

会計業界の就職サポートは
安心のTAC
TACキャリアエージェントなら
BIG4・国内大手法人
就職支援実績多数！
税理士学習中の方
日商簿記学習中の方
会計士／USCPA学習中の方
会計業界で就業中の方で転職をお考えの方
会計業界でのお仕事に興味のある方
「残業なしで勉強時間を確保したい…」
「簿記３級から始められる仕事はあるの？」
といったご相談も大歓迎です！
スキマ時間に
PC・スマホ・タブレットで
WEB面談実施中!
忙しくて時間の取れない方、遠方に
お住まいの方、ぜひご利用ください。
詳細はこちら!
https://tacnavi.com/
accountant/web-mendan/
完全予約制
ご相談は無料です。会計業界を知り尽くしたプロの
コンサルタントにご相談ください。
※相談時間は原則としてお一人様60分とさせていただきます。
【相談会場】
東京オフィス 03-3518-6775
大阪オフィス 06-6371-5851
名古屋オフィス（登録会場） 0120-757-655
shoukai@
tac-school.co.jp
メールでご予約の際は、
件名に「相談希望のオフィス」
をご入力ください。
(例:相談希望 東京)
会計士・税理士専門の転職サポートサービス
TAC キャリアエージェント

TAC出版 書籍のご案内

TAC出版では、資格の学校TAC各講座の定評ある執筆陣による資格試験の参考書をはじめ、資格取得者の開業法や仕事術、実務書、ビジネス書、一般書などを発行しています！

TAC出版の書籍

＊一部書籍は、早稲田経営出版のブランドにて刊行しております。

資格・検定試験の受験対策書籍

- 日商簿記検定
- 建設業経理士
- 全経簿記上級
- 税　理　士
- 公認会計士
- 社会保険労務士
- 中小企業診断士
- 証券アナリスト
- ファイナンシャルプランナー(FP)
- 証券外務員
- 貸金業務取扱主任者
- 不動産鑑定士
- 宅地建物取引士
- 賃貸不動産経営管理士
- マンション管理士
- 管理業務主任者
- 司法書士
- 行政書士
- 司法試験
- 弁理士
- 公務員試験(大卒程度・高卒者)
- 情報処理試験
- 介護福祉士
- ケアマネジャー
- 電験三種　ほか

実務書・ビジネス書

- 会計実務、税法、税務、経理
- 総務、労務、人事
- ビジネススキル、マナー、就職、自己啓発
- 資格取得者の開業法、仕事術、営業術

一般書・エンタメ書

- ファッション
- エッセイ、レシピ
- スポーツ
- 旅行ガイド（おとな旅プレミアム/旅コン）

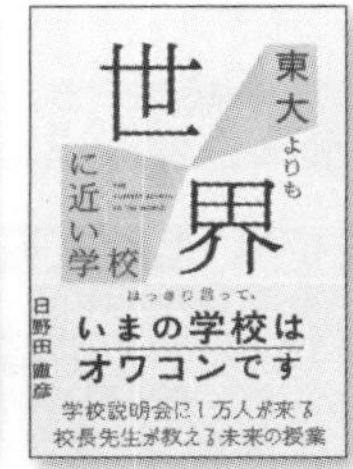

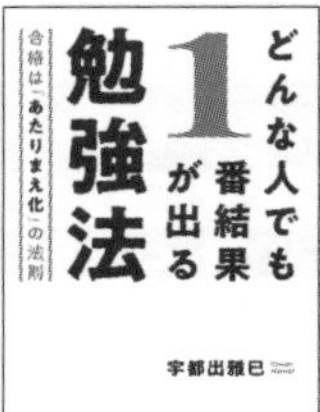

(2024年2月現在)

書籍のご購入は

1 全国の書店、大学生協、ネット書店で

2 TAC各校の書籍コーナーで

資格の学校TACの校舎は全国に展開!
校舎のご確認はホームページにて

資格の学校TAC ホームページ
https://www.tac-school.co.jp

3 TAC出版書籍販売サイトで

CYBER BOOK STORE TAC出版書籍販売サイト

24時間ご注文受付中

https://bookstore.tac-school.co.jp/

新刊情報をいち早くチェック!

たっぷり読める立ち読み機能

学習お役立ちの特設ページも充実!

TAC出版書籍販売サイト「サイバーブックストア」では、TAC出版および早稲田経営出版から刊行されている、すべての最新書籍をお取り扱いしています。
また、会員登録(無料)をしていただくことで、会員様限定キャンペーンのほか、送料無料サービス、メールマガジン配信サービス、マイページのご利用など、うれしい特典がたくさん受けられます。

サイバーブックストア会員は、特典がいっぱい!(一部抜粋)

通常、1万円(税込)未満のご注文につきましては、送料・手数料として500円(全国一律・税込)頂戴しておりますが、1冊から無料となります。

専用の「マイページ」は、「購入履歴・配送状況の確認」のほか、「ほしいものリスト」や「マイフォルダ」など、便利な機能が満載です。

メールマガジンでは、キャンペーンやおすすめ書籍、新刊情報のほか、「電子ブック版TACNEWS(ダイジェスト版)」をお届けします。

書籍の発売を、販売開始当日にメールにてお知らせします。これなら買い忘れの心配もありません。

2025年度版 税理士試験対策書籍のご案内

TAC出版では、独学用、およびスクール学習の副教材として、各種対策書籍を取り揃えています。学習の各段階に対応していますので、あなたのステップに応じて、合格に向けてご活用ください!

（刊行内容、発行月、装丁等は変更することがあります）

●2025年度版 税理士受験シリーズ

税理士試験において長い実績を誇るTAC。このTACが長年培ってきた合格ノウハウを“TAC方式”としてまとめたのがこの「税理士受験シリーズ」です。近年の豊富なデータをもとに傾向を分析、科目ごとに最適な内容としているので、トレーニング演習に欠かせないアイテムです。

簿記論

01	簿記論	個別計算問題集	（8月）
02	簿記論	総合計算問題集 基礎編	（9月）
03	簿記論	総合計算問題集 応用編	（11月）
04	簿記論	過去問題集	（12月）
	簿記論	完全無欠の総まとめ	（11月）

財務諸表論

05	財務諸表論	個別計算問題集	（8月）
06	財務諸表論	総合計算問題集 基礎編	（9月）
07	財務諸表論	総合計算問題集 応用編	（12月）
08	財務諸表論	理論問題集 基礎編	（9月）
09	財務諸表論	理論問題集 応用編	（12月）
10	財務諸表論	過去問題集	（12月）
33	財務諸表論	重要会計基準	（8月）
	※財務諸表論	重要会計基準 暗記音声	（8月）
	財務諸表論	完全無欠の総まとめ	（11月）

法人税法

11	法人税法	個別計算問題集	（11月）
12	法人税法	総合計算問題集 基礎編	（10月）
13	法人税法	総合計算問題集 応用編	（12月）
14	法人税法	過去問題集	（12月）
34	法人税法	理論マスター	（8月）
	※法人税法	理論マスター 暗記音声	（9月）
35	法人税法	理論ドクター	（12月）
	法人税法	完全無欠の総まとめ	（12月）

所得税法

15	所得税法	個別計算問題集	（9月）
16	所得税法	総合計算問題集 基礎編	（10月）
17	所得税法	総合計算問題集 応用編	（12月）
18	所得税法	過去問題集	（12月）
36	所得税法	理論マスター	（8月）
	※所得税法	理論マスター 暗記音声	（9月）
37	所得税法	理論ドクター	（12月）

相続税法

19	相続税法	個別計算問題集	（9月）
20	相続税法	財産評価問題集	（9月）
21	相続税法	総合計算問題集 基礎編	（9月）
22	相続税法	総合計算問題集 応用編	（12月）
23	相続税法	過去問題集	（12月）
38	相続税法	理論マスター	（8月）
	※相続税法	理論マスター 暗記音声	（9月）
39	相続税法	理論ドクター	（12月）

酒税法

24	酒税法	計算問題+過去問題集	（2月）
40	酒税法	理論マスター	（8月）

書籍の正誤に関するご確認とお問合せについて

書籍の記載内容に誤りではないかと思われる箇所がございましたら、以下の手順にてご確認とお問合せをしてくださいますよう、お願い申し上げます。
なお、正誤のお問合せ以外の**書籍内容に関する解説および受験指導などは、一切行っておりません。**
そのようなお問合せにつきましては、お答えいたしかねますので、あらかじめご了承ください。

1 「Cyber Book Store」にて正誤表を確認する

TAC出版書籍販売サイト「Cyber Book Store」の
トップページ内「正誤表」コーナーにて、正誤表をご確認ください。

CYBER BOOK STORE TAC出版書籍販売サイト

URL:https://bookstore.tac-school.co.jp/

2 1の正誤表がない、あるいは正誤表に該当箇所の記載がない ⇒ 下記①、②のどちらかの方法で文書にて問合せをする

★ご注意ください★

お電話でのお問合せは、お受けいたしません。
①、②のどちらの方法でも、お問合せの際には、「お名前」とともに、
「対象の書籍名(○級・第○回対策も含む)およびその版数(第○版・○○年度版など)」
「お問合せ該当箇所の頁数と行数」
「誤りと思われる記載」
「正しいとお考えになる記載とその根拠」
を明記してください。
なお、回答までに1週間前後を要する場合もございます。あらかじめご了承ください。

① ウェブページ「Cyber Book Store」内の「お問合せフォーム」より問合せをする

【お問合せフォームアドレス】

https://bookstore.tac-school.co.jp/inquiry/

② メールにより問合せをする

【メール宛先 TAC出版】

syuppan-h@tac-school.co.jp

※土日祝日はお問合せ対応をおこなっておりません。
※正誤のお問合せ対応は、該当書籍の改訂版刊行月末日までといたします。

乱丁・落丁による交換は、該当書籍の改訂版刊行月末日までといたします。なお、書籍の在庫状況等により、お受けできない場合もございます。
また、各種本試験の実施の延期、中止を理由とした本書の返品はお受けいたしません。返金もいたしかねますので、あらかじめご了承くださいますようお願い申し上げます。

TACにおける個人情報の取り扱いについて
■お預かりした個人情報は、TAC(株)で管理させていただき、お問合せへの対応、当社の記録保管にのみ利用いたします。お客様の同意なしに業務委託先以外の第三者に開示、提供することはございません(法令等により開示を求められた場合を除く)。その他、個人情報保護管理者、お預かりした個人情報の開示等及びTAC(株)への個人情報の提供の任意性については、当社ホームページ(https://www.tac-school.co.jp)をご覧いただくか、個人情報に関するお問い合わせ窓口(E-mail:privacy@tac-school.co.jp)までお問合せください。

(2022年7月現在)